Jean-Marc Soyez a publié aux Éditions de la Presqu'île,
Villa Baron 33310 Lormont
   1990 *Les ébénistes du vin*
   1992 *Marennes Oléron, le grand verger d'Atlantique*

   Recettes également disponibles sur les cassettes vidéo éditées
par France 3 Aquitaine.

Maquette, mise en page, Corinne Pauvert.
ISBN 287938-0103 (tome 2).

N°2

LA *cuisine* DES MOUSQUETAIRES

par Maïté et Micheline

Avec la complicité de Jean-Marc Soyez

France Aquitaine
3

EDITIONS DE LA PRESQU'ILE

Dumas, Marconi, Gutenberg, tout finit par un livre

La gastronomie fait partie de la culture avant même d'être un art, la cuisine est pour de nombreux peuples un élément essentiel de leur patrimoine, elle est même l'expression d'une tradition et d'une civilisation. J'ai pu moi-même le vérifier sur bien des continents.

« LA CUISINE DES MOUSQUETAIRES » est née de la passion de femmes et d'hommes amoureux des valeurs séculaires et de la culture de leur région : l'Aquitaine. C'est l'authenticité, que transporte cette émission de télévision, qui en fait sa notoriété et son succès en Aquitaine, en France et aujourd'hui à travers le monde.

Après une première édition d'une centaine de recettes, dont le succès a été pour beaucoup surprenant, voici un nouveau livre, avec d'autres recettes, choisies parmi les 250 émissions produites à ce jour, grâce, en particulier, au professionnalisme des équipes techniques de FRANCE 3 AQUITAINE.

Ces recettes correspondent bien sûr à cet esprit de gourmandise si cher à Maïté, mais elles sont aussi « l'expression de cette histoire d'amour », comme l'a écrit Thérèse Lizée, responsable, en 1983 des programmes de France 3 Aquitaine. J'ai, pour ma part, toujours cru dans le pouvoir magique de cette émission, et je suis fier, dans ma vie professionnelle, de lui avoir donné les moyens et l'antenne pour réussir.

Mais, qu'il me soit permis ici de rendre hommage à Thérèse Lizée qui en fut la marraine, et à Micheline Banzet l'initiatrice. Merci à Patrice Bellot, le réalisateur de l'émission pour avoir su faire passer dans l'image toute la chaleur, la vivacité et le savoir-faire de Maïté, en même temps que sa propre passion pour la cuisine. Enfin, un immense remerciement à Maïté Ordonez pour sa spontanéité, sa gentillesse, sa simplicité toujours égale, et son grand cœur.

Que tous voient dans la parution de ce 2ᵉ tome la réalisation d'une exceptionnelle aventure.

Jean-Claude Sire
Responsable de l'Antenne et des Programmes
FRANCE 3 AQUITAINE.

Ventrèche : c'est quoi ?

Aiguillettes : pourquoi ?

Un foie entier : on dirait une fesse !

Ortolans, bruants brûlants : l'extase !

La bazadaise est cularde : ouh là là !

Bien sûr, pour nous qui vivons ici, piéger, chasser, flamber, embrocher, élever, gaver, est une seconde nature, évidences domestiques gasconnes.

Mais des dizaines de milliers de lettres nous questionnèrent et une sympathique curiosité se fit jour. Aussi, avons-nous décidé en « ouverture » des recettes classées thématiquement, de vous narrer la petite histoire de la grande Histoire de la Cuisine des Mousquetaires. Maïté et Micheline, avec la complicité de Jean-Marc Soyez, s'y sont attelées avec l'enthousiasme qu'on leur connaît comme si elles préparaient pour vous un plat fumant d'appétissante lecture.

EN GUISE DE MODE D'EMPLOI Note de L'éditeur.

*EN GUISE DE MESURES, SANS SCRUPULES NI QUARTERONS**

La générosité proverbiale des recettes nous éloigne des grammes et des décilitres. Sachez pourtant que les recettes sont élaborées au départ pour 4 personnes ; si un invité impromptu s'annonce, pas de panique, il aura sa part ! Faites appel à votre instinct, et servez quand c'est bon !

Et surtout n'oubliez pas : « faut ce qui faut » et « tout doux, tout doucement » : la cuisine se fait aussi avec le cœur.

Quant aux mesures en usage au temps des mousquetaires, vous pouvez toujours les dénicher chez antiquaires et brocanteurs : bonne chasse !

* Capacité :
- setier = chopine = une demi-pinte (soit environ 1/2 litre),
- velte = 8 pintes, ou 7, 6 litres,
- muid = 288 pintes, soit 274 litres.

Poids :
- grain = l'équivalent de 53 mg,
- denier = 24 grains (soit 1,27 grammes),
- scrupule = petit poids de 24 grains,
- once = 8 gros (soit 30 grammes et demi),
- quarteron = un quart de litre ou 4 onces (soit 123 grammes).

LEXIQUE
DES MOUSQUETAIRES

A u Sud de la Loire les morceaux classiques d'une volaille s'appellent morceaux nobles. Ce sont la cuisse, l'entrecuisse, l'aile.

Au Nord on les nomme : le pilon, la cuisse, l'aile et le blanc.

En Aquitaine, le « blanc » du canard c'est le magret et ses tranches minces sont les aiguillettes car elles rappellent la forme des languettes ferrées qui servaient à relier les chausses au pourpoint sous l'ancien régime.

Blanchir : c'est plonger quelques secondes un aliment, particulièrement des légumes dans un liquide bouillant pour attendrir, nettoyer, faire disparaître un goût désagréable ou dessaler.

Brunoise : légumes coupés en dés d'un demi-centimètre de côté.

Ciseler : découper des feuilles aromatiques à l'aide de ciseaux.

Concasser : c'est hacher irrégulièrement et grossièrement une carcasse de volaille ou bien des têtes et des arêtes de poisson.

Déglacer : c'est « rincer » le fond d'un plat ou d'une poêle qui vient de servir à cuire. C'est dans ce fond que se résument les meilleurs fumets de la pièce précédemment cuite. On déglace de préférence avec du vin, un alcool ou de la crème. Dans tous les cas faire recuire 2 ou 3 minutes.

Julienne : légumes coupés en lamelles ou mieux en bâtonnets (coupés à partir de tronçons de 4 centimètres de long).

Mirepoix : légumes coupés en dés d'environ 1 cm de côté.

Pocher : c'est faire cuire à découvert dans un liquide sans jamais faire bouillir.

Raidir : c'est passer très rapidement à feu vif une pièce de viande ou un poisson dans une poêle ou une sauteuse sans faire cuire.

Suer : c'est cuire sans eau, à feu vif, des légumes. L'eau qu'ils contiennent s'évapore en les cuisant à condition de les remuer souvent. On peut les faire suer « à blanc » en les servant dès qu'ils sont cuits, ou bien « à brun » en les laissant prendre un peu de couleur. Les légumes qui ont sué correctement retiennent à merveille les jus et les saveurs qu'on leur propose.

Tomber : c'est cuire doucement dans un peu de graisse sans laisser dorer.

Ventrèche : gras de poitrine et de ventre de porc. Mot exemplaire dans ce qu'il montre les évolutions des langues d'oïl et d'oc, deux façons de dire oui en latin : oc ille. Les gens du sud ont conservé le début, ceux du nord (de la Loire) ont gardé le tout ou presque. Ces sœurs jumelles devenues langues séparées se partagent, comme dans toute querelle de famille, torts et raisons à égalité. Au temps du vieux, très vieux Français du Nord au Sud on disait « Ventraille ». Ventrèche est donc une cousine bien proche, presque adultérine. On se demande pourquoi les gens d'oïl ont adopté *panne* pour s'éloigner de Ventrailles.

LES PETITS TRUCS DE MAITÉ

Pour apprécier le degré de cuisson d'un tournedos serrer le pouce et l'index de la main droite.

C'est évidemment le contraire pour les gauchers. Tâter de l'index de l'autre main le muscle qui se trouve à la base du pouce droit, puis le tournedos. Ils doivent avoir la même souplesse. En serrant l'index et le pouce c'est l'équivalent de « bleu ». Pour le « saignant » serrer le pouce et le majeur. « A point » serrer l'annulaire et « bien cuit » serrer l'auriculaire.

Pour peler les tomates trempez-les vingt ou trente secondes dans l'eau bouillante après avoir piqué une fourchette dans l'opercule (emplacement de la queue). C'est un endroit plus ferme qui empêchera la tomate de retomber dans l'eau en éclaboussant dangereusement. Tant qu'elle reste très chaude (mais pas cuite) la tomate se pèle comme par enchantement.

Pour supprimer la forte odeur d'un chou-fleur à la cuisson, ajouter une tranche de gros pain dans le récipient.

Pour choisir des asperges fraîches, enfoncez l'ongle à mi-longueur de l'une de celles qui vous sont proposées. Si quelques petites gouttes perlent, il faut les acheter, sinon…

Il n'est jamais très facile de se servir commodément d'un chinois, on aurait besoin de ses deux mains et de celle qui tient l'ustensile ne peut l'empêcher de basculer de droite et gauche.

Pour remédier à cette difficulté, ouvrez le fond d'une boîte de conserve propre. Posez ce « tube » dans la casserole désirée, enfilez le chinois dedans et procédez alors de vos mains libres selon les besoins de la recette.

Otez toujours le germe d'une gousse d'ail avant de l'utiliser crue ou cuite. Ce germe est indigeste et responsable de tous les inconvénients attribués à l'ail.

FUMETS ET BOUILLONS

Fumet de poisson

*d*ans une grande casserole, mettre des têtes et des
parures de poissons blancs (arêtes extérieures,
queues, grande arête) tels merlans, limandes, merlus, soles,
bars, etc. Ajouter des échalotes, de l'oignon coupé gros, du
persil, quelques clous de girofle, ail et baies de genièvre, sel,
poivre, bouquet garni, recouvrir de vin blanc sec mélangé à
moitié d'eau. Cuire à gros bouillon durant au moins vingt
minutes. Passer en écrasant au pilon.

Fumet de vieux cèpes

*i*l faut utiliser les cèpes trop vieux ou un peu abîmés.
Mettre dans une casserole trois ou quatre louches de
bouillon. Ajouter les cèpes essuyés, coupés. Ajouter autant
de porto que de bouillon.

L'assaisonnement de celui-ci est très suffisant. Faire réduire
à petit feu pour obtenir une sauce épaisse.

Bouillon classique

*d*ans un fait-tout, mettre des os et des viandes de porc, de bœuf, de veau et les légumes de tradition c'est-à-dire poireaux, carottes, navets, céleri, oignons, clous de girofle, sel, poivre, bouquet garni. Cuire trois heures au minimum, passer une fois refroidi.

Bouillon de poule

*l*aisser refroidir le bouillon de la recette de la poule farcie. Passer.
Ces fumets et bouillons se congèlent parfaitement soit en bocaux ou en petits sacs étanches par portions nécessaires à la composition d'une recette.

Gelée

*d*ans une marmite pleine d'eau bouillante mettre des pieds de veau bien propres, des os de veau, couenne de porc, un morceau de bœuf (gîte à la noix), oignons, échalotes, carottes, ail, poireaux, laurier, thym, serpolet des champs, cerfeuil. Cuire doucement 6 heures. Passer le bouillon. Le jus « prendra » dès qu'il sera froid. Se conserve longtemps au réfrigérateur.

VIVE LE CANARD

Depuis toujours, certains peuples ont sollicité la mémoire comme la curiosité de leurs voisins par leur attachement légendaire à un animal. Cette vocation se perpétue et dans certains cas, semble promise à un bel avenir. C'est ainsi que le Péruvien a son lama, l'Esquimau son phoque, le Tibétain son yak, le Lapon son renne… et le Gascon son canard. Pas n'importe quel canard s'il vous plaît ! Le roi de la cuisine gasconne, c'est le mulard, judicieux croisement du barbarie et du pékin blanc commun. Le mulard est robuste, vorace, et, par là, engraisse plus facilement que les autres.

Tout est bon dans ce canard : son sang, sa graisse, sa chair et son foie. Le temps n'est pas si éloigné où les grands-mères conservaient soigneusement son duvet pour confectionner couettes et oreillers, tandis que les gamins faisaient des sifflets avec les os de ses cuisses.

Cependant, plus qu'une nécessité préhistorique de survie, la présence du canard au panthéon gascon est le résultat d'un choix intelligent, joignant une gourmandise bien « entendue » à un solide souci d'économie domestique.

Née de la cueillette et de la basse-cour, la cuisine gasconne pourrait être, comme tant d'autres, une cuisine « brute » si elle

Toupins de terre, lavés, rincés, mis en sèche à l'air sur des piquets de tomates. Glorieux rite ménager, avant coureur du temps des confits et du petit salé.

Le temps passe pour les canetons comme pour le reste du monde. Nés mulards, mulets serait plus juste, ils n'ont aucune inquiétude pour la perpétuation de l'espèce et ne songent qu'à digérer et à paresser.

ne s'appuyait sur tant de civilisations successives et humanistes bien avant la lettre, et tant de siècles de soleil, générateur ici de succulences multipliées.

Cuisine de paysanne, naturellement regardante à toute dépense superflue, et qui ne va pas loin faire son marché. En Gascogne, hormis les épices, tout se produit à la maison. Cuisine de femme, donc amoureuse et maternelle, qui use davantage d'intuition et de sensibilité généreuse que d'affèteries et par conséquent se situe aux antipodes des mignardises de l'éphémère mode culinaire. Les Egyptiens connaissaient les oies grasses et savaient les gaver, c'est tout ce que nous en savons.

Les Grecs et surtout les Romains consommaient beaucoup de foies gras qu'ils faisaient pocher dans du lait. Ils engraissaient leurs oies – même celles du Capitole – avec des figues sèches roulées entre les paumes en petits boudins. Le foie : *jecur* était donc : *ficatum,* c'est-à-dire « figué ». C'est ce foie figué-là qu'optiones et décurions firent goûter à leurs conquêtes gauloises.

Les Grecs, grands initiateurs des Romains, usaient avant eux de la même dénomination : leurs foies gras étaient *« hépar sukôton »,* c'est-à-dire foies engraissés aux figues.

Nos ancêtres, apparemment plus gallos que romains, oublièrent vite le jecur latin pour ne conserver que le ficatum, peut-être plus facile à prononcer. Au temps de Charlemagne, le ficatum était déjà devenu *figido* et désignait tous les foies. Les clercs de Louis V le Fainéant, dernier carolingien, écrivaient *fedie* et pour Aliénor d'Aquitaine, c'était le *feie.*

Avec Philippe-Auguste, arrive enfin le *foie,* viscère obsédant, objet de toutes nos attentions, qu'il soit gras chez un anatidé ou bien en crise chez nous.

Comment est-on passé du foie d'oie à celui du canard ? C'est lorsque, la prospérité citadine aidant, le foie d'oie est devenu « bloc » de luxe, atteignant des prix bloquant du même coup toute consommation plus populaire.

Le canard gras et son foie, déjà appréciés des gourmets, devinrent le produit de substitution par excellence. Dès lors, on s'aperçut que le foie de canard, quoique moins pesant que celui de l'oie, rendait plus de gras précieux à la cuisson, qu'il était d'un goût plus fin, facile et moins coûteux à produire artisanalement, et qu'enfin, les canards s'adaptaient mal, étant même rebelles à la scandaleuse production industrielle à présent en usage dans le monde entier.

Certes, aujourd'hui, on trouve partout des blocs et des pâtés de foie d'oie à des prix dérisoires ou presque. Reste à déterminer s'il ne s'agit pas de tout autre chose que du produit annoncé sur l'étiquette. Le fait que l'on puisse produire des quantités de foie gras du Néghev à la Sibérie nous laisse perplexes en nous éloignant par trop des climats raffinés des Landes et des Périgords…

Le véritable foie d'oie gras demeure une nourriture aussi rare que luxueuse ; toutefois, qu'il nous soit permis de prétendre qu'il n'est pas indispensable de disposer d'une Rolls pour passer d'agréables vacances.

Si l'on ajoute à cela que le foie de canard se prête plus aisément aux multiples recettes dont il est souvent la charnière ou le complément indispensable, on aura compris que toute discussion à ce sujet est inutile.

Salade landaise de Maïté

d ans une poêle chauffer les gésiers confits.
• Préparer la salade et l'assaisonner. On peut ajouter un peu d'ail mais ça n'est pas vraiment meilleur.

• Préparer sur l'assiette la salade assaisonnée.

• Couper le magret en lamelles assez fines (compter deux lamelles par assiette) ; les faire cuire à la poêle ; saler et poivrer.

• Découper deux escalopes assez épaisses dans un joli foie de canard frais et les mettre aussitôt dans la poêle, avec les magrets, saler et poivrer, retourner la tranche, saler et poivrer l'autre face, laisser dorer.

• Déposer délicatement les gésiers chauds sur la salade, les magrets bien grillés mais saignants et les tranches de foie et servir immédiatement.

Une salade « qui tienne » : frisée ou batavia ;
une laitue serait trop molle.
Une belle tranche de foie de canard, cru.
un magret de canard   gésiers confits

LES FOIES DE CANARD POÊLÉS

foies aux pommes et au porto

foies aux poires et au sauternes

foies aux kiwis et à l'Armagnac

*d*écouper de belles escalopes dans un foie de canard cru. Mettre à sec dans une poêle très chaude, saler et poivrer. Ajouter :
- soit des pommes coupées en quartiers,
- soit des poires coupées en lamelles épaisses,
- soit des kiwis coupés en tranches.

Surveiller le feu… assez mais pas trop.
- • Retourner la tranche de foie, saler et poivrer, laisser dorer.
- • Ajouter :
- avec les pommes, du porto, que l'on peut flamber,
- avec les poires, un bon vin de Sauternes,
- avec les kiwis, un peu d'armagnac, qu'il faut flamber.

Avenue d'Abondance,
pavée de foies gras.
Passée la Garonne,
on n'est jamais très loin
d'une version gourmande
d'Alice au pays
des Merveilles

21

Terrine de foie gras à l'armagnac

Terrine de foie gras au champagne

Terrine de foie gras au poivre vert

Si le foie est très beau, il n'est pas indispensable de le dénerver, ce qui n'est pas facile.

• Enlever le fiel (qui est vert).

Saler et poivrer généreusement sur toutes les faces et entre les lobes. Laisser au repos quatre ou cinq heures, pour que le foie « prenne le sel ».

• Déposer dans une terrine, arroser d'armagnac. Recouvrir avec une feuille de papier aluminium ; le foie cuit mieux et fond moins qu'avec un couvercle.

• Cuire à four très chaud, au bain-marie :

– pour un foie de 500 grammes : environ trente minutes.

– pour un foie de 800 à 900 grammes : environ 45 minutes.

TERRINE AU CHAMPAGNE

• Même méthode que ci-dessus mais arroser avec du champagne demi-sec.

TERRINE AU POIVRE VERT

• Même méthode, mais on remplace armagnac ou champagne par des grains de poivre vert et leur jus.

N.B. : *les foies en terrine peuvent se conserver huit jours au réfrigérateur. On les dit « mi-cuits ». On peut en couper quelques tranches, selon les besoins et le remettre au réfrigérateur ; mais il ne faut pas dépasser la semaine.*

Pour la terrine à l'armagnac :
un foie de canard gras, cru,
d'environ 850 à 900 grammes.
sel, poivre   armagnac

Les cous farcis

L'achat du canard entier, est beaucoup plus avantageux. En ce cas, on coupe la tête, qui ne sert à rien. On pourra faire des confits, les foies, et bien d'autres recettes savoureuses, car, hormis la tête, « rien ne se jette » dans le canard.

• Après avoir coupé la tête, couper le cou au ras du corps. Retourner la peau, sans la trouer. Coudre avec de la ficelle et une grosse aiguille l'extrémité la plus étroite.

• Préparer la farce : passer au hachoir jambon de pays, ventrèche, deux petits oignons, une échalote, du magret de canard coupé en lamelles et des aiguillettes de canard. Saler et poivrer ; arroser avec un bon verre d'armagnac et ajouter des beaux morceaux de foie gras cru.

• Remplir le cou avec cette farce ; coudre.

• Mettre le cou dans un bocal à conserves, mettre le couvercle et stériliser dans une marmite pleine d'eau pendant deux heures.

foie gras de canard cru	*cous de canard gras*
armagnac	*jambon de Pays*
oignon	*échalote*
ail	*ventrèche*
magret de canard	

Surprises au foie gras au fumet de vieux cèpes

PÂTE À CHOUX

*M*ettre un demi-litre d'eau dans une casserole, ajouter 125 grammes de beurre, une bonne pincée de sel et 300 grammes de farine, que l'on ajoute d'un seul coup quand le beurre est fondu.

• Travailler énergiquement jusqu'à ce que la pâte « décolle » de la casserole.

• Ajouter les œufs, deux par deux, car tous les œufs ne sont pas de la même grosseur ; il en faudra peut-être quatre, peut-être cinq, ou même six. La pâte doit être souple mais pas mollette.

• Beurrer une plaque allant au four. Prendre une poche à douille et la remplir de pâte ; presser pour en sortir de petits tas que l'on dispose sur la plaque. Mélanger un jaune d'œuf avec un peu d'eau, dans une tasse et passer au pinceau sur chaque chou, pour les faire dorer. Cuire à feu très chaud dix à quinze minutes.

LA FARCE

• Découper une belle tranche de foie de canard gras cru et la mettre, à sec, dans une poêle chaude ; saler et poivrer, laisser dorer à peine, retourner la tranche, saler, poivrer, dorer.

• Dans un bol, mettre deux belles cuillerées de crème fraîche, avec un petit verre d'armagnac. Vérifier que le foie est « à point » (il doit être souple sous la fourchette) et l'écraser grossièrement avec la crème à l'armagnac.

Laisser refroidir les choux, puis les remplir de farce. Les servir froids, avec un fumet de vieux cèpes chaud.

---

foie gras de canard cru	*porto, armagnac, cèpes*
POUR LE BOUILLON :	
Jarret de veau	*un peu de porc et de bœuf*
carottes, poireaux, navet	*oignon*
persil, thym, laurier	*clou de girofle*
une feuille de céleri	*sel, poivre*
POUR LA PÂTE À CHOUX :	
300 grammes de farine	*125 grammes de beurre*
4 ou 5 œufs	*sel, 1/2 litre d'eau*

Foie gras à la gelée au champagne

Prendre un beau foie de canard cru, le dénerver si cela semble nécessaire ; saler et poivrer généreusement tout autour, et entre les lobes ; puis mettre à macérer dans le champagne vingt-quatre heures.

• Le lendemain, mettre le foie et la marinade dans une cocotte ; couvrir et cuire environ trente minutes pour un foie d'un kilo. Le foie sera « mi-cuit » et peut se conserver au moins huit jours. Le sortir sans l'abîmer.

• Déposer le foie dans une terrine. Bien dégraisser le jus et le mélanger avec la même quantité de gelée (que l'on a fait fondre en casserole). Couvrir le foie et laisser prendre au frais vingt-quatre heures.

Foie de canard gras, cru	*Champagne*
sel	*poivre*

POUR LA GELÉE :

os de veau	*jarret de veau*
pied de veau	*couennes de porc*
bœuf	*oignons*
(dans le gîte à la noix)	*clous de girofle*
échalotes	*poireaux*
carottes, sel	*poivre*

Canette farcie au champagne

*d*ans une poêle, chauffer du beurre ; y jeter des échalotes coupées fin ; y ajouter les foies de volaille, un brin de thym ou de serpolet, et, selon le goût de chacun, un peu de laurier, et enfin les champignons émincés. Faire revenir. Saler et poivrer.

Hacher le veau et le porc et les ajouter à la farce ; arroser avec une belle cuillerée de crème fraîche, un peu d'armagnac et le verre de champagne.

• Plumer et vider la canette. La remplir de farce. Coudre, ou enrouler dans une crépine.

• Cuire à four moyen environ une heure et demie, en arrosant.

Aux petits matins brumeux, avant-garde de l'automne, les colonies pataudes de mulards se pressent aux mangeoires ; pas question de manquer une bouchée ;… par moments ils font penser à des êtres humains.

une canette bien tendre   *une crépine de porc*
250 gr de porc maigre   *250 gr de veau*
foies de volailles   *beurre*
crème fraîche   *échalotes*
un verre d'armagnac   *un verre de champagne brut*
quelques champignons de Paris   *thym ou serpolet*

Canard au champagne

*P*lumer et vider le canard. Dans une cocotte, faire fondre de la graisse de canard. Quand elle est bien chaude, dorer le canard sur toutes ses faces, il doit être bien doré, mais rester saignant ; compter environ dix à quinze minutes.

• Sortir le canard ; le découper. Mettre au chaud les morceaux nobles.

• Briser la carcasse au hachoir.

• Chauffer du beurre dans une cocotte ; y mettre la carcasse brisée et laisser un peu fricasser ; puis ajouter des échalotes hachées ; saler et poivrer ; arroser avec le champagne ; laisser mijoter et bien réduire.

• Passer la sauce au tamis, écraser au pilon. Servir les morceaux bien chauds arrosés avec la sauce.

un canard   graisse de canard
beurre   échalote
sel   poivre
une demi-bouteille de champagne

Tournedos de canard
sauce grand veneur

*f*aire une mignonnette de poivre ; pour cela, concasser sur la planche les trois poivres, avec le dos d'une casserole, en appuyant fort.

• Saler et poivrer avec cette mignonnette les magrets, côté chair, et les mettre l'un sur l'autre, face à face, côté peau à l'extérieur ; ficeler comme un rôti.

• La veille, on a préparé une marinade avec des os de canard, un petit navet rond, un demi-oignon planté de trois clous de girofle, une carotte coupée en quatre dans sa longueur, un peu de poivre, un joli bouquet de thym, persil, laurier, peu de sel ; arroser avec un litre de vin rouge. Laisser reposer.

• Dans une cocotte, chauffer la graisse de canard. Eponger les os de la marinade et faire revenir. Ajouter les échalotes coupées fin et laisser mijoter un peu. Quand les échalotes prennent un peu de couleur, déglacer avec deux cuillerées à soupe de vinaigre de vin. Enlever les os et ajouter deux ou trois cuillerées de gelée de vin de Médoc ; laisser fondre cette gelée doucement avant d'ajouter deux bons verres de marinade. Laisser réduire de moitié, à petit feu, puis ajouter de la crème fraîche avant de passer la sauce.

• Découper en tranches, entre les ficelles, le canard et déposer ces tournedos dans une poêle très chaude. Quand ils ont pris une belle couleur, les retourner et surveiller la cuisson ; le magret doit rester saignant.

• Napper avec la sauce et servir aussitôt.

---

2 magrets de canard gras	*vin rouge de Bordeaux*
gelée de vin de Médoc	*thym, laurier, persil*
carottes	*oignon, échalotes*
navet	*abats de volailles*
graisse de canard	*poivre gris, noir, rose en grains*
vinaigre de vin	*sel*

Canard au vin rouge

*P*lumer et vider un canard d'environ huit mois. Le découper.

• Dans une cocotte, chauffer la graisse de canard et mettre à rissoler les morceaux nobles. Saler et poivrer. Retourner les morceaux pour dorer toutes les faces ; saler et poivrer à nouveau.

• Ajouter les oignons coupés en morceaux, des échalotes coupées grossièrement et laisser revenir un bon moment.

• Retirer les morceaux de canard quand ils sont bien rissolés.

• Dans la même cocotte, ajouter des petits cubes de ventrèche et de jambon de pays, carotte et céléri coupés en brunoise (très petits cubes) ; mélanger, puis ajouter un bouquet garni (thym, laurier, persil) et laisser mijoter à couvert.

• Remettre les morceaux de canard dans la cocotte et arroser avec un litre de vin rouge corsé, chauffé et flambé. Couvrir et laisser mijoter au moins une heure, à petit feu.

SAUCE

• Fondre de la graisse de canard dans une casserole ; y jeter des oignons coupés fin ; les laisser devenir transparents et dorer tout doucement ; saupoudrer alors de farine et remuer ; ajouter des cèpes ; s'ils sont frais, les faire revenir à l'huile avant – s'il s'agit de conserves, choisir des cèpes à l'huile – ; arroser avec un bon demi-litre de porto et laisser réduire de moitié.

• Ajouter cette sauce dans la cocotte, avec le canard.

---

canard de Barbarie	*vin rouge*
graisse de canard	*sel, poivre*
oignons	*échalotes*
ventrèche	*jambon de pays*
carottes	*céleri en branches*
thym, persil, laurier	*farine*
cèpes	*porto*

Salade de canard
aux petits pois

*é*cosser les petits pois et les mettre à cuire dans de l'eau, avec quelques branches de sauge (ou de sarriette) ; laisser bouillir à petits frissons environ dix minutes. Egoutter les petits pois et les laisser refroidir.

• Dans une poêle, chauffer la graisse de canard. Quand elle est bien chaude, déposer les aiguillettes, saler et poivrer ; laisser prendre couleur ; retourner les aiguillettes, saler et poivrer à nouveau ; surveiller la cuisson : les aiguillettes doivent rester roses.

• Faire la sauce de la salade avec de l'huile d'olive, le jus d'un demi-citron, sel et poivre.

• Mélanger les petits pois avec des tomates et des poivrons coupés en tout petits dés.

• Sortir les aiguillettes "à point" de la poêle, les découper en lamelles et les déposer, tièdes, sur la salade froide.

aiguillettes de canard	*petits pois frais*
tomates	*poivrons verts*
graisse de canard	*sel*
poivre	*huile d'olive*
citron	

Magrets au cidre

*P*arer les magrets : enlever le surplus de graisse qui les entoure parfois. Inciser la peau.

• Saisir les magrets à sec dans une poêle très chaude, côté peau au contact de la poêle. Quand la peau est bien dorée, sortir les magrets et les garder au chaud, à l'entrée du four.

• Déglacer la poêle avec un verre de cidre et déposer les pommes, non pelées, coupées en deux. Surveiller la cuisson, et quand elles ont un peu doré ajouter deux belles cuillerées à soupe de gelée de vin de Médoc (1) ; laisser fondre la gelée doucement.

• Présenter les magrets entourés de pommes, napper avec le jus.

(1) Gelée de groseilles réduite avec du vin de Médoc.

Tout commence par un attendrissant grouillement de canetons où chacun semble investi d'une mission aussi urgente qu'essentielle.

magrets de canard   *cidre*
gelée de vin de Médoc   *pommes*

LES SOUPES

orsque Mérovée roi des Francs Saliens, belges de l'embouchure de l'Escaut veut apporter au général Aetius et à Théodoric 1er le concours de ses braves guerriers pour aplatir un certain Attila et ses Huns aux champs Catalauniques (451) il apporta avec eux la « suppa », nourriture ordinaire des guerriers francs, c'est-à-dire une épaisse tranche de gros pain abondamment mouillée du jus d'un pot-au-feu de fortune. Ce bon Mérovée ne savait évidemment pas qu'il allait devenir le père de la nation française et que ses habitants n'auraient pas de plus durable tradition que de tremper la soupe.

En Néerlandais actuel, « soppen » signifie tremper.

Cuisine du château de Cassaigne où rien n'a changé le 16e siècle. Ici, les maigres cadets de gascogne, qui faisaient de si beaux mousquetaires mangeant leur frugal dé-jeûne.

35

Poivrons, aubergines et tomates farcies

*d*écalotter et vider les poivrons, enlever le chapeau des tomates et les vider avec une cuillère, creuser les aubergines.

• Hacher le jambon, la ventrèche, l'oignon, l'échalote, l'ail et la tranche de veau, saler et poivrer un peu. Faire revenir cette farce dans une poêle et laisser cuire un peu.

• Saler et poivrer l'intérieur des légumes. Les remplir de farce et arroser d'une goutte d'huile.

• Déposer les légumes dans un plat allant au four, arroser d'un filet d'huile et cuire environ une heure à four pas trop chaud ; il faut surveiller la cuisson.

Marchés aquitains aux couleurs de feux d'artifices, à la fois cornes d'abondance et joyeux incendies qui, depuis bien longtemps ouvrent la fête comme l'appétit.

aubergines	*poivrons*
tomates	*jambon de pays*
ventrèche	*oignon*
échalote	*ail*
persil	*riz (pour celui qui n'a pas*
une tranche de veau	*assez de farce)*

Artichaut, céleri, fenouil, oignons farcis

*d*ans une marmite pleine d'eau salée, faire blanchir l'artichaut, le pied de céleri, le fenouil et l'oignon pelé. Surveiller la cuisson : l'oignon cuit plus vite, puis le céleri, le fenouil et enfin l'artichaut. Retirer les légumes quand ils sont tendres. (Pour les artichauts, on peut estimer la cuisson en détachant une feuille extérieure).

• Chaque légume peut-être traité avec une farce différente ; à vous de les inventer, ou de choisir celles qui sont proposées ci-dessous :

L'ARTICHAUT

• Hacher une tranche de jambon de pays, un oignon et deux gousses d'ail.

• Fondre de la graisse de canard dans une poêle ; quand elle est chaude, faire revenir le hachis ; ajouter un peu de thym et de laurier. Ni sel ni poivre, le jambon est toujours salé. Glisser trois doigts au cœur de l'artichaut pour retirer les feuilles tendres ; gratter la chair et l'ajouter au hachis.

• Détacher le foin avec une cuillère à soupe et l'enlever.

• Remplir l'artichaut avec la farce ; le déposer dans un petit plat et le passer au four une dizaine de minutes.

LE CÉLERI

• Faire une farce avec de la ventrèche hachée, thym et laurier ; ajouter la tomate coupée en très petits dés. Faire revenir cette farce dans une poêle avec très peu de graisse de canard.Saler peu et poivrer.

---

artichaut	*céleri, fenouil*
oignon	*armagnac*
jambon de pays	*ventrèche*
restes de chair d'agneau	*cerfeuil, persil, thym, laurier*
tomates	*ail*
raisins de Smyrne ou Corinthe	*graisse de canard*
sel, poivre	*fromage râpé*

• Battre deux jaunes d'œuf en omelette et les ajouter, hors du feu.

• Couper le pied de céleri en deux, dans sa longueur ; évider le cœur et le remplir de farce. Refermer comme un couvercle, et passer au four dix minutes.

LE FENOUIL

• Faire tremper quelques heures des raisins secs dans un bol avec de l'armagnac.

• Faire une farce avec des restes d'agneau, un peu du cœur de fenouil, une pincée de cannelle et les raisins gonflés. Flamber cette farce avec l'armagnac dans lequel les raisins ont baigné.

• Couper le fenouil en deux et l'évider au centre, pour le remplir de farce ; recouvrir et passer dix minutes au four.

L'OIGNON

• Couper le cœur de l'oignon ; retirer le cœur avec une cuillère à café.

• Faire une farce avec jambon de pays et ventrèche hachés ; ajouter le cœur de l'oignon et un soupçon d'armagnac.

• Saupoudrer de gruyère râpé et mettre le couvercle. Passer au four dix minutes.

Crêpes de courgettes

Casser deux œufs entiers dans un saladier. Battre avec de la crème fraîche.

• Laver, essuyer, puis râper les courgettes, avec leur peau. Les ajouter et bien mélanger, saler et poivrer.

• Chauffer l'huile dans la poêle, verser le mélange et laisser dorer ; puis poser un couvercle de la taille de la poêle et retourner, comme une crêpe ; puis faire glisser à nouveau dans la poêle pour dorer la seconde face.

courgettes   *deux œufs*
crème fraîche   *huile*

Velouté d'asperges

Racler les asperges, couper les têtes et les mettre de côté. Cuire les tiges dans de l'eau salée. Cuire les têtes dans un peu de bouillon.

• Quand les corps des asperges sont tendres, les passer à la moulinette.

• Hors du feu, ajouter de la crème fraîche et les têtes.

asperges (Avril et Mai sont la meilleure saison)
un bon bouillon on le fait avec :

porc	*veau*
bœuf	*carottes*
poireaux	*navet*
oignon	*clou de girofle*
une feuille de céleri	*sel, thym, persil*
poivre	*laurier*
cuire au moins trois heures	*crème fraîche*

LES CHOUX FARCIS

Le chou farci
des grands-mères

blanchir le chou en le plongeant dans de l'eau
bouillante, le laisser bouillir une dizaine de minutes.
Le retirer. Egoutter et laisser tiédir.

• Faire la farce : passer au hachoir jambon, ventrèche,
viande de veau, échalote, ail, oignon ; saler et poivrer ; bien
mélanger.

• Ecarter délicatement les feuilles de chou jusqu'au cœur,
que l'on coupe à la base et retire. Remplir la cavité ainsi
formée avec la farce. Recouvrir avec les feuilles de chou pour
bien enfermer la farce. Enrouler le chou farci dans une
crépinette de porc.

• Dans une cocotte, chauffer un peu d'huile. Quand elle
fume, déposer le chou. Arroser d'un bon bouillon que l'on
aura préparé la veille et laisser cuire doucement environ
45 minutes (selon la grosseur du chou).

---

un joli chou	*oignon*
échalote	*ail*
sel	*poivre*
une tranche de veau	*ventrèche*
jambon de pays	*crépinette de porc*
un bon bouillon	
(que l'on peut faire la veille)	

Le chou farci
aux langoustines

*d*ans une poêle, chauffer de l'huile. Y jeter l'oignon coupé en lamelles, le laisser fondre et devenir transparent ; ajouter les tomates que l'on aura pelées, après les avoir jetées un instant dans l'eau bouillante ; puis les carottes coupées en petits cubes, sel, poivre, thym, laurier, persil, ail haché fin, les quatre épices (cannelle, gingembre, noix de muscade en poudre et clous de girofle), une pincée de poivre de Cayenne. Quand ces légumes ont un peu fondu, arroser de vin blanc doux et laisser mijoter.

• Dans une autre poêle, chauffer de l'huile et y jeter les langoustines, qui vont cuire une dizaine de minutes (selon grosseur ; les petites langoustines seront cuites en moins de cinq minutes).

• Retirer les langoustines de la poêle, laisser tiédir, puis décortiquer avec soin et ajouter les chairs aux légumes.

• Chauffer l'armagnac et y mettre le feu ; verser dans la poêle.

• Blanchir le chou, en le jetant dans de l'eau bouillante. Egoutter et laisser tiédir. Prendre quelques feuilles et les étaler bien à plat. Mettre un peu dc langoustines et de légumes bien réduits sur la feuille et enrouler comme une paupiette ; ficeler.

• Dans une casserole, chauffer du vin. Déposer les petits choux et cuire trois minutes.

chou	*vin doux*
persil	*thym*
oignon	*ail*
champignons de Paris	*tomates*
carottes	*aromates : les quatre épices*
langoustines	*huile*

LES CRUSTACÉS

Dans son grand dictionnaire de cuisine, Alexandre Dumas consacre sept pages aux huîtres, quatre autres au homard, quatre lignes à la langouste et pas une seule aux moules. Ces moules méprisées sont pourtant l'objet de la plus ancienne recette connue : l'églade pour Maïté, l'éclade pour les charentais maritimes... descendants presque directs des inventeurs.

C'est une recette de chasseurs erratiques.

A la halte du soir, lorsque la chasse a été médiocre quoi de plus naturel que faire griller aux aiguilles de pin, des coquillages glanés à marée basse ? Les traces d'éclades (moules et huîtres mêlées) sont innombrables dans les vastes gisements côtiers datant du mésolithique qui s'étirent de Vendée au Danemark.

Les archéologues du siècle précédent refusèrent de les appeler « débris de cuisine » pour adopter un nom danois bien plus ébouriffant : kjoekkenmddinger ce qui signifie débris de cuisine. Cela ne s'invente pas.

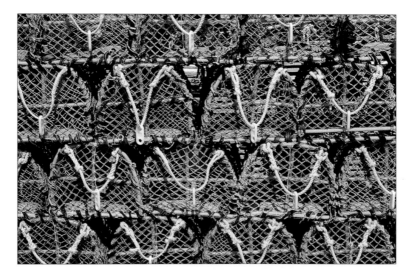

Ouvrage en macramé ou bien piège à poissons ?

Potage de langoustines
à la paysanne

*C*uire des pommes de terre à l'eau salée ; les passer en purée.

• Dans une poêle, faire fondre la graisse de canard et revenir les oignons nouveaux coupés en quatre ; puis ajouter les fanes de radis. Arroser avec deux louches de fumet de poisson et laisser réduire un peu. Inutile de saler car le fumet est déjà assaisonné. Passer ce fond de soupe à la moulinette et le mélanger avec la pomme de terre écrasée.

• Mettre dans une casserole sur le feu, et assouplir avec deux cuillérées à soupe de crème fraîche. Goûter et rectifier l'assaisonnement si nécessaire. Plonger les langoustines dans la soupe et laisser frémir quatre ou cinq minutes avant de servir.

langoustines	*fumet de poisson*
pommes de terre	*oignon nouveau*
fanes de radis	*sel*
poivre	*graisse de canard*

Langoustines
aux fines herbes

*P*réparer un fumet (1) avec les ingrédients indiqués ci-dessus ; laisser mijoter une demi-heure.

• Couper les langoustines en deux dans la longueur et retirer l'intestin, un fin cordon gris foncé.

• Chauffer de l'huile dans la poêle et faire dorer les langoustines des deux côtés ; saler et poivrer ; laisser cuire pas plus de cinq minutes. Les sortir et garder au chaud.

• Déglacer la poêle avec un verre d'armagnac, ajouter deux louches de fumet de poissons.

• Couper fin les herbes, persil, estragon, ciboulette et basilic, les ajouter dans la poêle et laisser réduire, puis ajouter deux cuillerées de crème fraîche.

• Arroser les langoustines avec la sauce et servir aussitôt.

(1) Voir page 14.

langoustines	*huile*
estragon	*persil*
basilic	*ciboulette*

Soupe de crabes aux coquillages

*é*craser les crabes vivants d'un coup sec avec le plat du hachoir. Les jeter aussitôt dans une cocotte avec de l'huile bouillante.

• Ajouter une carotte en rondelles, un poireau en tronçons, une feuille de céleri, une belle échalote coupée grossièrement, une gousse d'ail écrasée, un demi-oignon en rondelles, deux brins de thym et une feuille de laurier, persil et deux tomates en quartiers. Saler un peu et poivrer généreusement. Laisser fondre les légumes, puis ajouter un verre de cognac ou d'armagnac ; couvrir la cocotte et laisser mijoter un bon quart d'heure au moins.

• Pendant ce temps, gratter et bien nettoyer les moules, les laver dans plusieurs eaux. Les jeter dans une grande casserole, à sec et à feu vif, pour les ouvrir. Faire de même avec palourdes et coques, bien lavées. Ajouter dans la cocotte, avec les crabes et les légumes, le fumet de poisson et laisser cuire. Ouvrir les coquilles Saint-Jacques. Nettoyer en gardant seulement le corail et la noix de chair blanche.

• Moules, palourdes et coques sont ouvertes… les retirer de la casserole ; sortir la chair et jeter les coquilles.

• Dans une poêle, chauffer un peu de beurre ; faire rissoler les coquilles Saint-Jacques, saler et poivrer, retourner. Les coquilles sont cuites en moins de cinq minutes.

• Disposer sur un plat coquilles Saint-Jacques, palourdes et coques ; garder au chaud. Passer le contenu de la cocotte au chinois ; bien écraser les crabes et les légumes au pilon pour recueillir tous les bons goûts. Arroser généreusement les coquillages avec cette soupe et servir aussitôt.

---

petits crabes (étrilles)   *coquilles Saint-Jacques*
palourdes, moules   *carottes, poireaux, tomates*
céleri, échalote   *ail, persil, thym, laurier*
armagnac ou cognac

Salade de crabe

*f*aire un court bouillon avec carotte, oignon, poireau, thym, sel, poivre, persil, laurier, piment fort, du vin blanc, autant d'eau et laisser cuire une vingtaine de minutes.

• Plonger le crabe vivant dans ce court-bouillon et le laisser cuire dix minutes environ.

• Sortir le crabe et le laisser refroidir. L'ouvrir en glissant un couteau derrière. Découper la carapace au ciseau et la nettoyer. Casser les pattes.

• Vider le crabe ; recueillir le corail et le foie à part, et, d'autre part, la chair.

• Dans une poêle, chauffer de l'huile et faire revenir échalote, céléri et ail coupés fin, tout doucement. Quand ces légumes sont cuits, retirer la poêle et laisser refroidir.

• Dans un bol, mettre deux jaunes d'œufs durs, le corail et le foie du crabe, un peu de moutarde forte ; inutile de saler et poivrer, le court-bouillon étant assez relevé. Ajouter de l'huile d'olive et mélanger comme une mayonnaise.

• Quand la sauce a pris un bel aspect, ajouter la chair du crabe et les légumes refroidis.

• Remplir la carapace avec cette salade ; décorer avec les pinces du crabe.

un gros crabe (tourteau)	*poivre*
carotte	*oignon*
thym	*poireau*
persil	*laurier*
céleri en branche	*échalote*
citron	*ail*
huile d'arachide	*piment fort d'Espelette*
huile d'olive	*œufs*
moutarde forte	*sel*

Crabe à la vapeur
à la chinoise

*d*ans un couscoussier ou un « cuit-vapeur », mettre de l'eau à bouillir ; lorsqu'elle bout, y jeter une bonne poignée de thé.

• Dans le compartiment perforé, faire un lit d'oignons coupés en lamelles ; saupoudrer de grains de coriandre et déposer le crabe sur ce lit. Déposer le compartiment sur la marmite où infuse le thé et laisser cuire à petit frisson le temps nécessaire (selon grosseur du crabe).

• Verser la sauce soja dans un bol ; ajouter le jus d'un citron ; râper du gingembre et ajouter une pincée de piment de Cayenne, une demi-cuillerée à café de sucre en poudre.

• Décortiquer le crabe et l'arroser avec la sauce soja.

un gros crabe (tourteau)	*thé chinois*
oignons	*oignon nouveau (à la saison)*
grains de coriandre	*sauce soja*
citron	*gingembre*
piment de Cayenne	*sucre en poudre*

Tourteaux farcis
à la crème de homard

*f*aire un court-bouillon en mettant, à l'eau froide, poireau, carotte, oignon piqué d'un clou de girofle, thym, laurier, persil, cerfeuil, sel, poivre. Faire bouillir environ 20 minutes pour que l'eau prenne le goût des légumes. Puis jeter dans ce bouillon les crabes vivants et les laisser cuire environ quinze minutes.

• Par ailleurs, préparer un fumet de poisson : nettoyer et bien rincer têtes et parures (arêtes) de poissons à chair blanche, tels que merlan, limande, turbot, etc… Faire bouillir de l'eau dans une grande casserole, y jeter têtes et parures, ajouter poireau, carotte, un peu de céleri en branche, fenouil (au choix) thym, laurier, échalote, persil, sel, poivre, vin blanc et, à égalité, de l'eau. Laisser mijoter quarante-cinq minutes.

• Retirer les crabes qui ont cuit et les laisser refroidir. Décortiquer. Vider et gratter la carapace en prenant soin de garder à part les pattes, la chair du corps et le corail.

• Découper avec de forts ciseaux le bord de la coque pour bien dégager l'orifice. Décortiquer les pinces en les brisant avec le dos d'un bon couteau, retirer la chair et la mettre de côté ; enlever les cartilages.

crabes vivants	*têtes et parures de poissons à*
poireaux	*chair blanche*
oignons	*carottes*
céleri en branche	*échalotes*
ail	*fenouil*
thym	*clou de girofle*
persil	*laurier*
estragon	*cerfeuil*
poivre	*sel*
vin blanc sec	*baies de genièvre*
crème fraîche	*armagnac*
tête et carcasse de homard	*huile d'olive*

• Découper en très petits dés (faire une brunoise) carottes, vert de poireau, oignon. Faire fondre ces légumes au beurre ; quand ils sont affaissés, ajouter les chairs du corps et des pattes du crabe ; saler peu.

• Arroser avec un peu de fumet de poisson et laisser mijoter à couvert.

CRÈME DE HOMARD

• On utilise la tête et les carcasses d'un homard que l'on cuit dans un court bouillon, et dont on mangera la chair, par ailleurs, à volonté.

• On casse et on découpe tête et carcasse, en prenant soin de recueillir, à part, le corail, qui se trouve dans la tête.

• Faire un hachis avec échalotes, ail et un peu de céleri. Ajouter estragon, thym, laurier, quelques baies de genièvre, et un peu d'ail.

• Laisser fondre ce mélange dans une casserole, avec du beurre. Puis ajouter carottes et tomates coupées en très petits dés. Mouiller avec un peu de fumet de poisson et laisser réduire.

• Dans une poêle, chauffer de l'huile d'olive ; faire revenir la tête et les carcasses pilées ; ajouter le corail et flamber à l'armagnac. Ajouter ensuite les légumes réduits. Laisser mijoter.

• Ajouter enfin deux ou trois cuillerées de crème fraîche et laisser encore réduire. Passer cette réduction au chinois.

• Remplir les carapaces de crabe avec la chair du crustacé et arroser avec la sauce de homard.

Crustacés à la Mic-Mac

Les Mic-Macs sont des Indiens Abénaquis de l'ancienne Acadie (aujourd'hui Nouvelle Ecosse). Ils utilisaient communément ce système de cuisson et étaient réputés pour l'excellence de leur cuisine. Ils sont bizarrement liés au Béarn. La fille d'un grand chef épousa religieusement le lieutenant de Saint Castin en septembre 1683 et devint ainsi très légalement baronne de Saint Castin - à 15 km de Paris -. Elle lui donna trois fils dont les descendants, les « Castine », sont encore nombreux en Nouvelle-Angleterre.

*f*aire un trou dans le sable ou dans un coin du jardin ; le tapisser avec de gros galets. Recouvrir de bois et mettre le feu. Surveiller et alimenter ce feu pendant au moins trois heures.

• Ecarter alors le bois brûlé et nettoyer les cendres ; étaler sur les galets brûlants une grande feuille de papier aluminium épaisse (doubler ou tripler la feuille si elle est trop mince).

• Déposer crustacés, moules et maïs sur l'aluminium ; couvrir d'un épais matelas d'algues fraîches et humides et de serviettes éponge mouillées (ou autres tissus épais et mouillés).

• Laisser ainsi enfermé au moins quarante cinq minutes, en surveillant ; il est évident que les coquillages seront plus vite « à point » que le crabe ou le homard. Déguster aussitôt… à brûle-doigts : c'est délicieux !

---

crustacés (crabes, langoustines, homards)
coquillages (praires, moules, etc…)

maïs en gousses entières	*algues fraîches*
galets	*fagots de bois*
papier aluminium	*serviettes éponge*
	ou vieux torchons

Mimalaïa

*C*ouper la ventrèche en petits cubes et les faire fondre dans une cocotte, avec un peu d'huile chaude ; ajouter des oignons coupés grossièrement, trois gousses d'ail pelées et écrasées, laisser revenir un peu.

• Couper les poivrons en petits dés et les ajouter ; saler et poivrer ; laisser revenir en remuant tous les ingrédients.

• Ajouter deux louches de riz et le laisser « changer de couleur » en remuant, pour qu'il ne brûle pas. Ajouter du thym, les petits piments, puis des tomates coupées en morceaux.

• Couper une belle tranche de jambon de Bayonne et la débiter en petits cubes ; les ajouter dans la cocotte et remuer encore.

• Arroser avec le jus d'un citron vert et trois louches de bon fumet de poisson ; saupoudrer de paprika et laisser mijoter à couvert.

• Casser les pattes du crabe avec le plat du hachoir et les ajouter dans la cocotte, ainsi que les langoustines entières, les clams bien brossés et nettoyés à grande eau ; couvrir et laisser mijoter encore environ une demi-heure, en surveillant.

crabe	*langoustines*
clams	*ventrèche*
jambon de Bayonne	*oignon*
ail	*poivrons verts*
piments d'Espelette	*tomates*
citron vert	*huile*
sel, riz	*poivre*
fumet de poisson	*paprika*

Praires à l'ail et au fenouil

*d*ans une poêle, verser de l'huile d'olive et laisser chauffer un peu, jeter de l'oignon coupé fin, des carottes coupées en brunoise, saler et poivrer, ajouter trois gousses d'ail entières et un peu de bulbe de fenouil coupé fin. Mélanger et laisser les légumes s'affaisser avant d'ajouter deux grands verres de vin rouge.

• Laisser mijoter et réduire un peu.

• Brosser avec soin les praires, dans beaucoup d'eau salée, pour enlever le sable incrusté dans les nervures de la coquille.

• Déposer les praires, bien propres dans la poêle et couvrir ; il ne leur faudra pas plus de trois ou quatre minutes pour s'ouvrir.

• Quand elles sont ouvertes, saupoudrer de paprika et ajouter une bonne cuillerée de crème fraîche. Saupoudrer de persil et servir aussitôt.

praires	*huile d'olive*
oignon	*carottes*
ail	*fenouil*
persil	*paprika*
sel	*poivre*
vin rouge de Buzet	*crème fraîche*

Ragoût de praires
et de clams

———

Ouvrir les coquillages à sec dans une poêle, à couvert et sur feu vif.

• Chauffer de l'huile dans une autre poêle, y jeter des petits oignons nouveaux ; ajouter de l'ail coupé très fin et des tomates coupées en morceaux ; saler et poivrer, laisser dorer. Arroser avec trois bon verres de Sauternes et un peu de bouillon ; laisser cuire et réduire.

• Les coquillages sont ouverts ; les décortiquer et les mettre avec les légumes réduits. Laisser mijoter un peu. Ajouter une bonne cuillerée de crème fraîche et du persil ciselé.

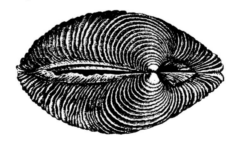

praires	*clams*
oignon nouveau	*ail*
tomates	*sel*
poivre	*persil*
crème fraîche	*un bon bouillon*
sauternes	

Meusclagne de poissons et de crustacés

*J*eter les crabes vivants dans de l'huile bouillante et les laisser devenir rouge vif.

• Par ailleurs, jeter les crevettes dans de l'huile d'olive bien chaude ; laisser prendre couleur, et flamber à l'armagnac.

• Couper fin l'oignon et le faire fondre dans l'huile.

• Préparer les calamars : retirer la poche d'encre et l'os qui se trouvent à l'intérieur ; ne garder que la chair blanche ; bien la nettoyer et la couper en lamelles fines. Déposer ces lamelles sur l'oignon bien fondu et cuire : ne pas saler ni poivrer, les crustacés apportent assez de sel.

• Couper les légumes en petits dés et les ajouter : céleri, tomates, un peu de poivron rouge et de poivron vert, oignon coupé.

• Ajouter avec les calamars et les crevettes, morceaux de bar et grondin, faire revenir, puis ajouter les légumes coupés, saupoudrer de thym émietté, ajouter une feuille de laurier et les calamars ; arroser avec du vin blanc ; bien mélanger et laisser réduire.

• Gratter et bien nettoyer les moules ; les ouvrir à sec dans une poêle ; retirer les coquilles.

• Disposer sur la meusclagne les moules et quelques olives noires. La meusclagne est un plat complet.

bar	*grondin*
grosses crevettes (gambas)	*petits crabes (étrilles)*
moules	*calamars (seiches)*
céleri en branche	*tomate*
poivrons rouges	*poivrons verts*
oignon	*laurier*
thym	*huile d'olive*
fumet de poisson	*vin blanc*
armagnac	

Huîtres au champagne

Ouvrir les huîtres en prenant soin de conserver leur eau dans une jatte. Sortir la chair et la mettre de côté.

• Dans une casserole filtrer l'eau des huîtres, ajouter autant de champagne. Chauffer et faire pocher les huîtres dans ce jus. Les retirer rapidement et les remettre dans leur coquille, elles doivent être à peine cuites.

• Battre un jaune d'œuf avec de la crème fraîche, l'ajouter dans la casserole. Chauffer sans bouillir, pour lier la sauce et napper aussitôt les huîtres. Servir chaud.

huîtres   champagne
jaune d'œuf   crème fraîche

Brochettes d'huîtres

*P*oser une passoire au-dessus d'un saladier ; ouvrir les huîtres au-dessus, afin de recueillir leur eau. Déposer les huîtres sur un linge bien propre, pour les éponger.

• Couper de très fines tranches de ventrèche et enrouler chaque huître, comme une paupiette, avant de l'embrocher.

• Cuire les brochettes à four chaud, ou sur une braise très douce.

SAUCE

• Dans une petite casserole, verser du vin blanc et une cuillerée à café de vinaigre ; ajouter une échalote hachée fin et un peu de l'eau des huîtres, le jus d'un demi-citron vert, un soupçon de porto et une pincée de poivre. Pas de sel : l'eau des huîtres est salée.

• Faire bouillir et laisser réduire. Terminer la sauce avec de la crème épaisse ; donner un bouillon et passer, en écrasant bien les échalotes au pilon.

• Servir la sauce en saucière, avec les brochettes brûlantes.

huîtres	*ventrèche*
vin blanc	*en tranches très fines*
porto	*citron vert*
échalote	*crème épaisse*
vinaigre	

Marmite d'huîtres et de crustacés à la bière blonde

*V*erser une bouteille de bière blonde (1 litre) dans une marmite et chauffer ; quand la bière bout, jeter les tourteaux vivants, puis les langoustines.

• Accrocher une passoire sur la marmite et ouvrir les huîtres au-dessus, afin que leur eau coule dans la marmite ; déposer la chair dans la passoire. Les huîtres vont cuire à la vapeur, moins de cinq minutes suffiront.

• Retirer la passoire et mettre les huîtres de côté.

• Sept à huit minutes de cuisson suffisent pour cuire les langoustines (selon grosseur…) ; les sortir et les laisser tiédir avant de décortiquer les corps et la queue, tout en gardant la tête, qui est décorative.

• Sortir ensuite le crabe, qui est plus long à cuire ; le laisser tiédir avant de l'ouvrir et de recueillir toute la chair ; garder les pattes qui vont contribuer au décor.

• Couper en fine julienne carotte, céleri et un peu de poireau. Dans une poêle, chauffer de l'huile d'olive ; quand elle fume, jeter un peu de carotte et de céleri ; laisser chauffer et s'attendrir ces légumes avant d'ajouter le poireau qui, plus tendre, sera plus vite cuit. Saler et poivrer ; ajouter persil, ciboulette et estragon hachés et laisser mijoter à petit feu.

• Mettre le reste de légumes dans la marmite et laisser frissonner une bonne demi-heure.

• Présenter les langoustines sur une assiette creuse ; ajouter les pattes de crabe.

• Déposer la chair du crabe au centre.

• Lier une belle louche du liquide de cuisson avec de la crème fraîche et remplir l'assiette.

---

tourteaux	*langoustines*
huîtres	*bière blonde*
carottes, céleri	*poireau*
huile d'olive	*sel, poivre*
persil, ciboulette, estragon	*crème fraîche*

Civet d'huîtres
aux œufs de caille

*V*erser du vin rouge dans une petite casserole et ajouter les échalotes coupées fin ; chauffer et laisser réduire à sec. Puis, au moment de servir, ajouter de bonnes cuillerées de crème épaisse ; bien mélanger pour faire une sauce onctueuse.

• Ouvrir les huîtres au-dessus d'une passoire, pour recueillir leur eau dans une petite jatte. Filtrer cette eau et la verser dans une petite casserole ; chauffer et faire pocher les huîtres dans cette eau, pas plus de deux minutes. Les retirer.

• Chauffer de l'eau fortement vinaigrée ; quand elle frissonne – mais avant qu'elle ne bout – casser les œufs et les faire tomber délicatement dans le liquide. Surveiller et sortir les œufs avec une écumoire après quelques minutes.

• Disposer sur une assiette les huîtres au centre, les œufs pochés autour, en couronne ; intercaler des petits cubes de tomates parsemés de cerfeuil haché. Napper les huîtres avec la sauce.

huîtres	*œufs de caille*
vin rouge	*vinaigre de vin*
échalotes	*tomates*
cerfeuil	*crème fraîche*

Ecrevisses à la bordelaise

*C*hâtrer les écrevisses afin de retirer le cordon noir qui donnerait un goût acide et amer.

• Chauffer dans une marmite du vin de Sauternes ; plonger les écrevisses, encore vivantes, dans le liquide brûlant et les laisser cuire. Quand elles ont pris une belle couleur rouge vif, elles sont cuites. Les sortir.

• Couper les carottes en tout petits dés, les oignons en petits morceaux.

• Dans une poêle, chauffer de l'huile ; jeter les oignons et les carottes, laisser fondre un peu ; ajouter la ventrèche coupée en petits cubes ; saler et poivrer ; ajouter thym er laurier, puis les écrevisses.

• Chauffer l'armagnac dans une casserole, flamber et verser dans la poêle. Prendre dans la marmite une louche du vin de cuisson des écrevisses et l'ajouter.

• Par ailleurs, on avait préparé un bon bouillon - ou on l'avait en réserve - ; en verser une bonne louche dans la poêle. Laisser bouillir, puis frissonner une bonne vingtaine de minutes, à feu doux.

• Sortir les écrevisses. Les présenter dans un plat. Passer les légumes et le jus en écrasant bien au pilon, pour recueillir tous les sucs.

écrevisses	*sauternes*
armagnac	*ventrèche*
carottes	*oignons*
thym	*laurier*
persil	*huile*

L'araignée de mer farcie

*N*oter que le mâle est meilleur que la femelle.
Dans une marmite pleine d'eau bouillante très salée, jeter l'araignée et le crabe, vivants. Couvrir et laisser bouillir une dizaine de minutes.

• Dans une poêle, chauffer de l'huile ; faire fondre l'oignon coupé en lamelles et du poireau coupé en morceaux, à feu doux.

• Eplucher des gousses d'ail. Couper fin et ajouter dans la poêle. Laisser revenir un peu, puis ajouter la tomate pelée, coupée en morceaux. Saler et poivrer. Laisser mijoter doucement.

• Le crabe et l'araignée ont cuit dix minutes ; les sortir de la marmite. Laisser refroidir et décortiquer : ôter la carapace de l'araignée au-dessus d'une passoire, pour recueillir le jus. Faire de même avec le crabe. Mettre le jus ainsi recueilli dans la poêle avec les légumes.

• Ajouter un peu de persil finement coupé et un soupçon d'armagnac ou de vin blanc. Couvrir et laisser mijoter.

• Décortiquer le corail et la chair du crabe et les ajouter dans la poêle ; bien mélanger avec les légumes.

• Laver avec soin les carapaces de l'araignée et du crabe et les remplir avec les légumes et les chairs. Saupoudrer de persil haché, puis de chapelure.Décorer avec une patte de crabe.

• Mettre au four chaud, environ quinze minutes et servir aussitôt.

araignée de mer, mâle	*armagnac*
tomates	*oignon*
ail	*persil*
crabe tourteau	*chapelure*

Gambas basquaises

*M*ettre les gambas vivantes dans un bol rempli d'armagnac.
• Dans une poêle, mettre à chauffer de l'huile d'olive.
• Vider les poivrons de leurs graines et les découper en lanières ; les déposer dans l'huile chaude ; ajouter des tomates coupées en quartiers et une gousse d'ail écrasée ; saler et poivrer. Laisser mijoter et assouplir les légumes.
• Ajouter les gambas et l'armagnac. Chauffer et flamber.
• Laisser cuire environ dix minutes : quand les gambas sont bien roses, elles sont cuites.

---

gambas   tomates
poivrons verts, jaunes, rouges   armagnac
ail, huile d'olive

Brochettes de moules panées

*g*ratter les moules ; bien les nettoyer. Les moules à sec, dans une poêle. Quand elles sont ouvertes, décoquiller et les enfiler sur une brochette.
Prendre trois assiettes creuses : dans l'une : mettre de la farine, dans la seconde : un œuf battu en omelette, dans la troisième : de la chapelure.
• Dans une poêle, chauffer de l'huile.
• Passer les brochettes successivement dans la farine, l'œuf et la chapelure et les plonger aussitôt dans l'huile très chaude. Retourner les brochettes pour dorer tout autour. Deux ou trois minutes de cuisson suffisent. Servir sans attendre.

---

moules, œuf, huile   farine, chapelure

Moules aux sardines et aux olives

*N*ettoyer les moules, bien les gratter, et laver dans de l'eau salée. Dans une poêle, chauffer de l'huile ; jeter les échalotes coupées fin. Ajouter trois gousses d'ail pelées et écrasées.
Les laisser mijoter doucement et prendre couleur.

• Ajouter les tomates coupées en morceaux, des olives noires et vertes dénoyautées et coupées en tout petits morceaux, saler et poivrer ; laisser mijoter.

• Couper la tête et la queue des sardines, les vider et les peler, lever les filets et les couper en morceaux ; les ajouter dans la poêle et mélanger.

• Ajouter les moules bien nettoyées ; saupoudrer de persil ciselé, couvrir et baisser le feu. Quand les moules sont ouvertes, le plat est prêt ; servir aussitôt.

moules	*sardines fraîches*
échalotes	*ail*
tomates	*olives noires*
olives vertes	*persil*
sel	*huile*

73

• Déposer un petit lit de poireaux coupés en lanières fines et quelques champignons coupés en lamelles ; coucher dessus une ou deux belles tranches coupées dans le corps du homard.

• Tenir une cuillère en bois, debout au milieu de l'aumônière et remonter les côtés tout autour ; pincer avec les doigts autour du manche de la cuiller en appuyant bien.

• Retirer le manche doucement : l'aumônière se tient ferme.

• Dans la poêle où se trouvent les têtes et carcasses flambées, ajouter les légumes réduits, puis un verre de vin blanc, du fumet de poisson et un peu de crème fraîche ; laisser réduire une bonne vingtaine de minutes ; puis passer au chinois en écrasant bien dans la passoire.

• Verser délicatement une bonne cuillerée de cette sauce dans l'aumônière ; nouer le col avec un brin de ciboulette où une lanière de poireau, fine, blanchie à l'eau bouillante.

• Arroser l'aumônière ainsi fermée avec du beurre fondu et mettre à cuire à four chaud environ dix minutes.

• Servir avec la sauce.

Le homard aux herbes

Cuire le homard au court-bouillon.
Faire un beurre d'herbes avec du beurre ramolli, que l'on travaille avec les herbes hachées très finement.

• Couper le homard dans toute sa longueur et le tartiner brûlant, avec le beurre d'herbes.

homard	*court-bouillon*
beurre	*persil*
cerfeuil	*ciboulette*

Papillotes de bettes farcies aux huîtres et aux coquilles Saint-Jacques

*P*eler la lotte et en couper un morceau. Le mettre à cuire dans le fumet de poisson, environ quinze minutes (selon grosseur).

• Passer les huîtres un instant à four très chaud, juste assez pour les ouvrir.

• Faire blanchir les feuilles de bettes en les plongeant dans l'eau bouillante très salée. Les sortir et les étaler avec précaution pour ne pas les trouer ; découper avec grand soin la côte centrale et la retirer ; rapprocher les deux côtés et poser dessus un beau morceau d'une autre tranche, afin de bien fermer l'incision.

• Ouvrir les coquilles Saint-Jacques. Retirer la poche noire et les barbes ; garder la noix de chair blanche et le corail.

FARCE

• Passer au hachoir la lotte et le corail des Saint-Jacques.

• Battre un œuf entier, le saler et poivrer ; ajouter un soupçon de poivre de Cayenne et mélanger avec le hachis ; ajouter un peu de crème fraîche.

• Déposer deux cuillerées à soupe de cette farce sur la feuille de bette ; par dessus, une noix de Saint-Jacques et une huître ou deux. Enrouler la paupiette.

Lillet (ou Noilly Blanc)	*un beau morceau de lotte*
huîtres	*vin blanc*
échalotes	*baies de genièvre*
aneth (facultatif)	*beurre*
sel	*poivre*
œuf	*poivre de Cayenne*
crème fraîche	*fumet de poisson*

L'esturgeon
à la bordelaise

Couper la tête, que l'on pourra utiliser pour faire un fumet.

• Vider le poisson ; on peut garder le boyau noir qui est comestible et bon, passé à la poêle bien chaude.

• Dans la poêle, chauffer de l'huile ; y jeter une poignée d'échalotes ; laisser fondre un peu et prendre une couleur blonde ; ajouter les petits oignons et les laisser s'attendrir ; puis déposer les darnes de poisson ; saler et poivrer, retourner, saler et poivrer l'autre face ; ajouter des petits cubes de tomates, thym et laurier ; arroser avec un grand verre de vin rouge. Couvrir et surveiller la cuisson, qui est rapide.

• L'esturgeon est un poisson fin, délicieux, tendre et fragile.

• Avant de servir, on peut enlever les darnes et les garder au chaud, puis ajouter quelques cèpes dans la sauce (cèpes en conserve à l'huile).

Esturgeon de Gironde	*vin rouge*
huile d'arachide	*tomates*
échalotes	*petits oignons nouveaux*
thym	*persil*
laurier	*sel*
poivre	

L'esturgeon mariné

*l*a veille, préparer une marinade avec le vin blanc, un peu de vinaigre, échalote coupée grossièrement, persil, un peu d'ail, oignon en lamelles, sel et poivre.

• Vider le poisson et le découper en tranches.

• Déposer les tranches dans la marinade, bien recouvertes par le liquide ainsi que la tripe noire de l'esturgeon.

• Le lendemain, sortir les tranches et la tripe, les éponger délicatement.

• Chauffer le beurre dans la poêle et faire revenir les darnes, la tripe ; saler et poivrer peu (la marinade était assaisonnée), retourner les tranches et laisser prendre couleur ; ajouter les légumes de la marinade et laisser revenir un peu.

• Arroser avec le liquide de la marinade et laisser mijoter.

• Découper une belle tranche de pain de campagne et l'ajouter dans la poêle un instant, avant de servir.

Esturgeon de la Gironde	*beurre*
vin blanc sec	*vinaigre*
échalote	*persil*
ail, sel	*oignon*
pain de campagne	*poivre*

Truites en croûte aux noix

*d*écortiquer des noix ; écraser les cerneaux avec le plat du hachoir, puis au pilon pour les réduire en poudre ; mélanger avec du persil haché et de la chapelure, sel et poivre ; malaxer ce mélange avec du beurre un peu mou et un jus de citron pour obtenir une pâte qui se tienne. (Il faut une assez grande proportion de chapelure et de poudre de noix, par rapport au beurre).

• Fariner la truite et la tartiner avec cette pâte ; ainsi bien enrobée, la mettre à cuire dans une cocotte, à couvert, en surveillant avec grand soin et en la retournant à mi-cuisson.

• La cuisson est délicate ; le feu ne doit pas être trop vif pour que le beurre ne fonde pas trop.

truite	*noix du Périgord*
farine	*beurre*
persil	*chapelure*
citron	*sel*
poivre	

Bar grillé au champagne

*d*écouper, avec un grand couteau, de belles tranches
dans un bar.

• Mettre l'huile à chauffer dans la poêle.

• Quand elle est très chaude, déposer les tranches de
poisson ; saler et poivrer, laisser dorer, retourner les tranches,
saler et poivrer, laisser dorer et cuire en surveillant. Retirer
les tranches et les garder au chaud.

• Dans la même poêle, ajouter des échalotes coupées fin et
des champignons de Paris émincés ; laisser revenir, puis
arroser avec du champagne et un peu de fumet de poisson (1).

• Laisser réduire à bon feu.

• Mélanger un jaune d'œuf et de la crème fraîche, les
ajouter pour lier.

• Déposer le poisson pour le réchauffer, si nécessaire, sans
le laisser bouillir dans la sauce, et servir aussitôt.

(1) Voir pages 14.

un beau bar	*échalotes*
ou des tranches de bar	*champagne*
champignons de Paris	*sel*
huile	*œuf*
poivre	*crème fraîche*

Bar braisé au champagne

*É*cailler et vider le bar ; couper les nageoires ; saler et poivrer dessus, dessous et dedans.

• Dans la poissonnière, faire un court-bouillon : dans l'eau froide, mettre carottes coupées en rondelles, poireau en tronçons, oignon piqué de deux clous de girofle, un peu d'échalote, thym, laurier, cerfeuil et les parures de poisson (têtes et arêtes) bien nettoyées, sel et poivre en grains. Laisser frissonner une petite heure, à couvert.

• Poser le bar sur une grille de la poissonnière, on peut l'attacher avec une ficelle. Le descendre dans la poissonnière. Ajouter du champagne, assez pour que le poisson soit entièrement couvert par le liquide. Laisser frissonner, sans bouillir, environ une demi-heure ; la cuisson dépend de l'épaisseur du poisson : il faut surveiller.

• Sortir la grille. Enlever délicatement la peau du poisson.

• Retirer les légumes de la poissonnière et les passer à la moulinette ; lier avec un jaune d'œuf et un peu de crème et servir en garniture, avec le poisson.

---

un beau bar   champagne, un œuf

POUR LE COURT-BOUILLON :
poireaux	*carottes*
oignons	*clous de girofle*
échalotes	*thym*
laurier	*cerfeuil*

parures de poissons à chair blanche (merlans, grondins et autres)

Dorade, bar, crabe en croûte au sel

*t*out peut se faire « en croûte au sel »… bar, saumon, daurade, grondin et autres…

• Casser les deux œufs et mettre les blancs dans un saladier. Ajouter peu à peu du gros sel ; environ un kilo… on sent à la main quand la pâte prend une bonne consistance ; ajouter un soupçon d'eau et laisser reposer quelques minutes.

• Vider le poisson. Inutile de l'écailler.

• Faire un moule qui entourera le poisson ; plier du papier aluminium en bandes d'environ cinq centimètres de haut, elles doivent mesurer deux centimètres de plus que l'épaisseur du poisson choisi ; le papier aluminium est replié six fois, car la bande doit être rigide.

• Entourer le poisson, couché, avec la bande, en suivant bien sa forme, et agrafer la bande pour qu'elle tienne en place.

• Mettre un lit de pâte au sel dans le fond du moule ; y coucher le poisson, saupoudrer de thym, persil, basilic et laurier ; ne pas saler. Recouvrir complètement le poisson avec la pâte au sel.

• Cuire au four chaud environ 45 minutes.

• Quand c'est cuit, la croûte est légèrement teintée et tout à fait dure. La casser avec le plat du hachoir, et peler le poisson, que l'on servira aussitôt, avec un beurre blanc, ou un beurre fondu aux herbes et citronné.

---

sel	*eau*
2 blancs d'œufs	*poisson*
thym	*laurier*
persil	*basilic*

Dorade farcie aux légumes

*C*ouper les légumes en brunoise (en très petits dés).
• Faire fondre le beurre dans une sauteuse ; y jeter les oignons et laisser fondre jusqu'à ce qu'ils soient transparents, mais sans prendre couleur ; ajouter les carottes, les poivrons, le céleri, les champignons coupés fin, une gousse d'ail écrasée, persil, basilic, sauge hachés ; saler et poivrer ; laisser ces légumes s'affaisser, puis arroser avec du fumet de poisson et laisser réduire.

• Tremper de la mie de pain dans du lait.

• Ecailler la dorade. Ne pas la vider.

• Inciser le poisson le long du dos jusqu'à l'arête centrale au ras des arêtes. Couper avec de forts ciseaux toute l'arête. Percer la poche délicatement afin de vider la dorade.

• Les légumes ayant réduit, battre un œuf entier, le mélanger avec le pain trempé au lait, verser dans les légumes et bien mélanger. Remplir le poisson avec cette farce et fermer en fixant les deux côtés avec des bâtonnets de bois.

• Dans un plat allant au four, mettre un petit film d'huile, déposer le poisson, le badigeonner d'un peu d'huile et cuire au four chaud, environ quarante minutes (selon grosseur du poisson).

---

une belle dorade	*céleri en branche*
poivrons rouges	*poivrons verts*
oignons	*champignons*
carottes	*ail*
persil	*basilic*
sauge	*beurre*
lait	*un œuf*
sel	*poivre*
fumet de poisson	*pain*
huile	

Filets de dorade aux girolles sucré salé

*V*ider la dorade.
Lever les filets en glissant un couteau le long de l'arête.

• La tête et l'arête, bien lavées, pourront être utilisées pour faire un fumet (1).

• Mettre de l'huile d'olive dans une poêle ; quand elle est chaude, déposer les filets, côté peau dessous. Saler et poivrer. Laisser dorer. Retourner.

• Essuyer les girolles avec soin, sans les laver.

• Faire fondre du beurre dans une poêle ; couper des échalotes bien fin et les jeter dans le beurre chaud ; laisser fondre doucement et prendre une couleur blonde. Ajouter alors les girolles, saler et poivrer ; laisser cuire à feu moyen.

• Dans une casserole bien chaude, mettre deux bonnes cuillerées à soupe de sucre en poudre (60 grammes environ) ; ajouter autant de bon vinaigre de cidre. Laisser bouillir et surveiller avec soin, pour obtenir un joli caramel blond.

• Disposer les filets de dorade sur une assiette ; entourer avec les girolles ; parsemer avec de la ciboulette hachée. Napper avec le caramel blond.

(1) Voir les fumets, page 14.

dorade	*huile d'olive*
girolles	*échalote*
sel	*poivre*
sucre	*vinaigre de cidre*
ciboulette	*beurre*

Dorade au champagne

*é*cailler et vider la dorade ; bien rincer.

Mettre de l'huile – ou de la graisse de canard – dans une poêle ; quand elle est chaude, y jeter l'oignon coupé en lamelles, laisser cuire et fondre un peu ; ajouter l'échalote coupée grossièrement, deux brindilles de thym, deux feuilles de laurier, deux ou trois tomates coupées en morceaux ; saler et poivrer ; ajouter un peu d'ail et quelques feuilles d'estragon coupées aux ciseaux. Laisser mijoter et réduire en confiture tout doucement.

• Déposer la dorade dans un plat allant au four ; couvrir avec les légumes et arroser avec du champagne demi-sec.

• Cuire une demi-heure.

• Prendre dans le plat une louche de liquide et le passer au-dessus d'un petit saladier ; lier avec de la crème fraîche.

• Lever délicatement les filets de la dorade et les présenter dans un plat ; napper avec la sauce.

dorade	*champagne*
oignon	*échalote*
ail	*thym*
laurier	*estragon*
tomates	*sel*
poivre	*graisse de canard (ou huile)*

Filets de dorade
à la bordelaise

*V*ider la dorade. Glisser un couteau souple le long du dos de la dorade ; le glisser tout au long de l'arête centrale pour lever le filet ; retourner la dorade et soulever délicatement l'arête.

• Garder l'arête et la couper en morceaux.

• Faire fondre du beurre dans une casserole ; ajouter les échalotes coupées très fin, les laisser fondre doucement et prendre une jolie couleur dorée. Ajouter l'arête et la faire revenir un instant. Arroser avec un bon demi-litre de vin rouge et laisser frissonner à tout petit feu. Réduire presque à sec ; puis ajouter abondamment de la crème fraîche. Bien mélanger et laisser bouillir.

• Chauffer un peu de beurre ou d'huile dans une poêle ; quand il est bien chaud, déposer les filets de dorade ; saler et poivrer, laisser prendre couleur, puis retourner, saler et poivrer à nouveau et terminer la cuisson, qui est rapide.

• Présenter les filets dans le plat ; napper avec la sauce passée au chinois en écrasant au pilon arêtes et échalotes.

dorade   *beurre*
échalotes   *vin rouge de Bordeaux*
crème fraîche

Lotte à l'américaine

*P*eler le poisson et le couper en tronçons.
• Faire chauffer moitié huile d'olive et moitié huile ordinaire.

• L'huile doit être brûlante car les morceaux doivent être saisis et dorés très vite, faute de quoi ils perdent de l'eau. Garder au chaud.

• Hacher très fin de l'échalote et la laisser fondre dans la poêle ; couper des carottes et des tomates en brunoise et les ajouter ; quand les échalotes sont transparentes, ajouter deux gousses d'ail écrasées ; saupoudrer de persil, estragon, basilic hachés, quatre brins de thym émiettés, ajouter encore une feuille de laurier, deux clous de girofle, poivre, sel, poivre de Cayenne ; arroser de bon vin blanc (un quart de litre environ) et d'un bon demi-litre de fumet de poisson ; laisser cuire à découvert au moins une demi-heure.

• Couper les crabes en deux ; les mettre dans une sauteuse avec du fumet de poisson brûlant ; les retourner ; flamber à l'armagnac. Ajouter les légumes et laisser encore mijoter une demi-heure.

• Mettre enfin les morceaux de lotte dans la sauce et les laisser cuire en frissonnant un petit quart-d'heure. Les sortir et garder au chaud.

• Passer la sauce au chinois ; bien écraser les légumes et les crabes au pilon. Napper le poisson abondamment avec la sauce.

N.B. : Comme les sauces de gibier, on peut réchauffer la sauce : plus elle réchauffe, meilleure elle est.

lotte entière (ou en tronçons)	crabes
huile d'olive, huile	échalotes
carottes	tomates
ail, persil, estragon, basilic	thym, laurier,
clou de girofle	sel, poivre
poivre de Cayenne	vin blanc
armagnac	fumet de poisson

Les pibales

*M*ettre du tabac gris dans un nouet de coton bien ficelé ; le déposer dans un plat creux, au milieu des pibales vivantes ; le tabac les fera mourir.

• Dans une grande bassine, chauffer de l'eau avec du vinaigre et du gros sel. Plonger les pibales et bien les remuer ; elles vont devenir blanches. Les rincer plusieurs fois ; la dernière eau doit être tout-à-fait claire.

• Etendre un torchon bien à plat ; déposer une couche de pibales en bordure et replier ; étaler une nouvelle couche de pibales sur le torchon sec et rouler à nouveau ; recommencer encore afin de bien les éponger.

• Faire macérer des gousses d'ail dans de l'huile d'olive pendant deux heures. Mettre cette huile aromatisée dans une poêle. Chauffer. Quand l'huile est bien chaude, jeter les pibales ; remuer aussitôt avec la cuiller de bois - les pibales sont très vite cuites - ajouter des piments « langucs d'oiseaux » ; ils sont très forts, il ne faudra pas les croquer !

• En moins d'une minute les pibales sont prêtes : les servir aussitôt dans des assiettes bien chaudes.

• Déguster à la cuiller de bois.

pibales	*huile d'olive*
ail	*« langues d'oiseaux »*
tabac gris	*vinaigre et gros sel*

Filets de morue marinés

*L*ever un beau filet de morue fraîche, ou cabillaud ; on trouve aussi des filets dans le commerce.

• Le déposer dans un plat creux ; couvrir avec du vin blanc, sel, poivre en grains, thym, laurier, ciboulette coupée en bâtonnets, tranches fines de citrons ; laisser mariner cinq ou six heures.

• Egoutter le filet. Mettre de l'huile dans la poêle ; quand elle est bien chaude, déposer le filet, peau contre la poêle ; parfumer d'un peu de muscade râpée. Laisser cuire ; retourner le filet et terminer la cuisson.

filets de morue	*vin blanc sec*
sel, thym	*poivre en grains*
ciboulette	*laurier, citron*
huile	*noix muscade râpée*

Beignets de morue

*C*asser dans un bol les quatre œufs, mélanger, ajouter assez de sel, une bonne pincée de poivre, de la farine et un peu de lait. Bien mélanger pour que la pâte soit onctueuse. Laisser reposer au moins deux heures.

• Dans une poêle, chauffer de l'huile d'olive et faire dorer les morceaux de morue ; saler et poivrer, retourner, dorer, saler et poivrer.

• Sortir les morceaux de morue, les tremper dans la pâte et les mettre à frire dans un bain d'huile bien chaude.

quatre œufs	*poivre, sel*
un peu de lait	*farine*
morceaux de morue	*huile d'olive*

Morue à la biscayenne

*d*ans une bassine remplie d'eau fraîche, faire dessaler
la morue quarante huit heures, la peau en-dessus,
pour que le sel tombe ; changer l'eau souvent.

• Dans une poêle, chauffer de l'huile d'olive ; y mettre de
l'oignon coupé en lamelles et le laisser fondre, ajouter l'ail
écrasé et laisser un peu revenir. Puis ajouter du jambon de
pays coupé en petits cubes, des poivrons rouges et verts
épépinés et des piments d'Espelette coupés en lanières, avec
leurs graines. Peler les tomates ; les couper en morceaux et
les ajouter ; saler et poivrer. Couvrir et cuire à tout petit feu.

• Les légumes doivent réduire jusqu'à consistance d'une
confiture.

• Dans une autre poêle, mettre de l'huile d'olive, ajouter de
l'ail, pour parfumer l'huile.

• Faire revenir des morceaux de morue dans cette huile, un
instant de chaque côté ; les retirer et les ajouter aux
légumes ; couvrir et laisser mijoter en surveillant.

morue du pays basque	*jambon de pays*
salée et sèche	*piment d'Espelette*
poivrons	*laurier*
thym	*tomates*
oignon	*persil*
oignons, ail	*huile d'olive*

La brandade de morue

*f*aire une purée de pommes de terre, sans trop la saler ; ajouter un peu d'huile d'olive.

Si la morue est salée, la mettre à dessaler dans une bassine d'eau fraîche l'avant- veille ; changer l'eau souvent.

• Cuire la morue à l'eau ; surveiller la cuisson qui dépend de la grosseur du poisson. Retirer et enlever les arêtes, avec grand soin, le plus possible.

• Ecraser le poisson à la fourchette, et l'ajouter à la purée.

• Hacher ail et persil, et les ajouter.

• Beurrer un plat allant au four ; le remplir avec cette purée ; parsemer de gruyère râpé et saupoudrer de chapelure. Mettre le plat au four, pas trop longtemps, pour dorer sans sécher.

morue fraîche ou salée	*lait*
pommes de terre	*ail*
persil	*huile d'olive*

Sole farcie aux cèpes ou aux girolles

Peler et vider la sole.

• Inciser le long de l'arête centrale et soulever les filets, en les détachant du côté de l'arête centrale et en glissant le couteau vers l'extérieur, sans détacher complètement les filets. Casser l'arête centrale près de la tête et la soulever délicatement ; l'enlever complètement. Couper les barbes du poisson tout autour.

• Remplir la poche ainsi formée avec les champignons, sautés à la poêle et assaisonnés d'une bonne persillade.

• Déposer la sole farcie dans le panier perforé d'une marmite à vapeur ; poser sur le récipient inférieur rempli d'eau, ou de fumet de poisson, et laisser cuire, à couvert, environ dix minutes (selon grosseur de la sole).

une belle sole	*cèpes (ou girolles)*
persil	*ail*
sel	*huile*

Sole farcie au crabe
à la crème de crabe

J eter crabes et tourteaux dans le court-bouillon bouillant et laisser cuire jusqu'à ce qu'ils soient bien rouges. Les sortir. Laisser refroidir. Décortiquer.

• Peler les soles. Inciser la chair le long de l'arête centrale, puis désosser chaque filet, en commençant par le centre du poisson, et en allant vers le côté, sans détacher complètement le filet ; cette opération permet, en soulevant les filets, de former une poche qui sera remplie de farce.

• Casser l'arête centrale au milieu, en la pliant ; la soulever avec la pointe d'un couteau, délicatement, et l'enlever.

• Dans une marmite à cuisson-vapeur, à étages, mettre du fumet de poisson ; poser la sole dans le panier supérieur et cuire sur fumet frissonnant, à la vapeur, une dizaine de minutes. Sortir la sole et la garder au chaud.

• Dans une casserole, faire fondre du beurre. Couper fin carottes, céleri, échalote et les jeter dans la casserole ; ajouter thym, persil, estragon, sel, poivre et laisser les légumes s'affaisser. Ajouter un bon verre de vin blanc, du fumet de poisson, puis les carcasses de crustacés brisées ; flamber à l'armagnac ; ajouter de belles cuillerées de crème fraîche et laisser réduire à petit feu.

• Couper fin des échalotes ; les faire fondre et dorer légèrement au beurre ; ajouter la chair des crabes ; arroser d'un peu de vin blanc ; réduire de moitié du volume.

• Remplir la poche de la sole avec cette farce. Passer la sauce au chinois en écrasant le plus possible les carcasses et napper le poisson. Servir aussitôt.

petits crabes, soles, tourteaux	*poireau*
carotte, oignon	*céleri en branche*
thym, persil	*échalote, laurier*
sel, poivre	*estragon*
crème fraîche	*vin blanc, beurre*

Les seiches en ragoût

*P*réparer les seiches : les nettoyer, vider et retirer l'os qui se trouve au centre : on le met dans la cage des oiseaux : ils aiment s'aiguiser le bec sur l'os de seiche.

• Peler : la peau se tire comme un gant. Bien laver.

• Dans une poêle, chauffer l'huile d'olive. Y jeter l'oignon coupé en fines lamelles, le fenouil coupé très fin, les tomates en quartiers, quelques feuilles d'oseille coupées en lanières, persil ciselé, une gousse d'ail écrasée ; saler, poivrer, bien mélanger et laisser mijoter.

• Couper les seiches en lanières pas trop petites (elles vont diminuer à la cuisson), les ajouter dans les légumes bien fondus. Flamber à l'armagnac. Couvrir et laisser mijoter tout doucement, en surveillant, jusqu'à ce que les seiches soient « à point ».

seiches	*oignon*
fenouil	*tomates*
oseille	*ail*
sel	*poivre*
huile d'olive	*armagnac*

Les calamars farcis

*P*réparer les calamars : couper les tentacules et les mettre de côté ; couper et jeter la tête ; sortir la « plume » qui est à l'intérieur du mollusque et la jeter ; peler la chair en enlevant la nageoire, que l'on jette. Bien nettoyer et laver à l'eau fraîche. La chair doit être bien propre et blanche.

• Faire la farce : passer au hachoir oignon, ail, jambon de pays et ventrèche avec un peu de mie de pain trempée. Ni sel, ni poivre, le jambon est souvent assez salé, et on peut utiliser de la ventrèche salée et poivrée.

• Chauffer de l'huile dans une poêle et faire revenir la farce, à tout petit feu. Hacher les tentacules et les ajouter.

• Peler les tomates. Les faire revenir dans de l'huile bien chaude ; ajouter des champignons de Paris coupés en lamelles, saler et poivrer, ajouter une gousse d'ail écrasée et laisser mijoter, à couvert, à petit feu. Ajouter enfin un peu de persil.

• Dans la farce, ajouter du persil coupé fin et une pincée de poivre de Cayenne. Remplir le calamar avec cette farce ; fermer en piquant un bâtonnet de bois. Poser le calamar farci dans la cocotte où mijotent tomates et champignons, couvrir et laisser cuire doucement environ quinze minutes.

calamars	*oignons*
ail	*tomates*
champignons de Paris	*ventrèche*
jambon de Pays	*huile*
sel	*poivre*
poivre de Cayenne	*pain*
thym	*persil*

Filets de maquereaux au cidre

*V*ider les maquereaux. Lever les filets en suivant l'arête avec un couteau. Les disposer dans un plat creux ; saler et poivrer ; ajouter quelques grains de poivre et le jus d'un citron vert.

• Dans une casserole, mettre le cidre brut, quelques rondelles de carotte et un oignon coupé en lamelles, thym, laurier ; ni sel ni poivre (les filets ont été suffisamment assaisonnés).

• Faire bouillir une dizaine de minutes et verser sur les maquereaux.

• Mettre au réfrigérateur vingt-quatre heures. Manger froid.

maquereaux	*cidre brut*
poivre en poudre	*poivre en grains*
sel	*citron vert*
carottes	*oignon*
thym	*laurier*

GRENOUILLES ET ESCARGOTS

Ces recettes peuvent sembler paradoxales puisque nées en plein cœur du vieux Kingdom of Gascony si fortement marqué par trois siècles de présence anglaise. Il est de fait qu'aujourd'hui encore, seuls les aventuriers britanniques les plus téméraires se risquent à goûter ces plats que la majorité de leurs concitoyens considèrent comme une abomination.

Indiscutablement, quoique la plupart des gascons de vieille souche aient un peu de sang anglais dans les veines, quelque part le courant n'est pas passé et ne passe toujours pas et nous ne voyons aucune raison pour que l'on nous soupçonne de vouloir user de rétorsion parce que nous tenons le pudding à la graisse de bœuf et la panse de brebis farcie pour une nourriture des plus improbables.

Beignets d'escargots, de moules et d'huîtres

*M*ettre les escargots dans une bassine ; couvrir d'eau et ajouter une brassée de branches d'orties. Laisser tremper au moins une heure ; la bave des escargots adhère aux orties, que l'on retire. Il suffit alors de rincer les escargots, jusqu'à obtenir une eau claire.

• Préparer un bouillon avec oignons piqués de clous de girofle, un joli morceau de jambon de pays, des piments forts appelés langues d'oiseaux, thym, laurier et persil. Mettre les escargots à cuire dans ce bouillon au moins deux heures. Ils sont cuits lorsqu'on peut les retirer de leur coquille facilement en les piquant et les tirant avec un bâtonnet de bois.

•Nettoyer les moules et les ouvrir à sec dans une poêle, sur feu vif, avec les huîtres. Les sortir quand elles sont ouvertes et les décortiquer.

PÂTE À BEIGNETS

• Dans un saladier, casser deux œufs entiers et un jaune, dont on garde le blanc dans un bol.

• Saler et poivrer ; ajouter un bol de farine et verser un verre de bière ; bien mélanger au fouet et laisser reposer au frais au moins une heure.

• Au moment d'utiliser la pâte, ajouter le blanc battu en neige.

• Tremper les moules, huîtres et escargots dans la pâte et les jeter dans de l'huile très chaude ; laisser dorer et retourner, les beignets doivent être bien dorés.

---

escargots de Gascogne	*moules,*
huîtres	*orties*
oignons	*clous de girofle*
jambon de pays	*piments forts*
thym, laurier, persil	*huile*
pour la pâte à beignets	
3 œufs	*sel, poivre*
un bol de farine	*un verre de bière*

Fricassée d'escargots aux aromates

*d*ans une grande bassine, mettre de l'eau, du gros sel en abondance, une bonne quantité de vinaigre et une brassée d'orties, ramassées au bord des jalles ou dans votre campagne.

• Mettez des gants en caoutchouc et plongez les escargots vivants dans la bassine. Remuez bien et assez longtemps. Les escargots dégagent une bave gluante qui va se fixer sur les orties. Recommencer plusieurs fois l'opération, le résultat nécessaire est obtenu quand l'eau reste claire.

• Rincer une dernière fois les escargots. Les mettre à cuire dans le bouillon, à couvert ; ils seront cuits quand vous pourrez facilement les sortir de leur coquille.

GARNITURE AROMATIQUE

• Couper les poivrons en lanières, tomates et courgettes en cubes.

• Dans une poêle, chauffer de l'huile ; mettre les poivrons, laisser revenir un peu ; ajouter les courgettes, saler et poivrer, laisser mijoter une dizaine de minutes ; ajouter les tomates et laisser à petit feu une bonne demi-heure.

PREPARER LA CREME D'AIL

• Ecraser les gousses d'ail, puis les hacher très fin. malaxer avec du beurre un peu mou.

• Dans une casserole, faire fondre des échalotes coupées fin avec du vin blanc ; quand le vin est presque évaporé, ajouter quatre cuillérées à soupe de crème fraîche ; laisser réduire ; ajouter enfin le beurre malaxé à l'ail et mélanger avec soin, sans bouillir.

• Sortir les escargots de leur coquille avec un bâtonnet en bois et les mettre au chaud dans la crème d'ail.

• Déposer les légumes en couronne dans un plat, les escargots au centre ; les arroser généreusement avec la crème d'ail.

---

petits escargots d'Aquitaine	*vin blanc, armagnac*
thym, laurier, persil	*oignon, échalote*
poivrons verts, jaunes et rouges	*tomates, courgettes*
huile	*gros sel et sel fin, poivre*
ventrèche	*crème fraîche, beurre*

Potée d'escargots forestière

𝓝ettoyer avec grand soin les escargots.
• Cuire les escargots trois heures, dans un bouillon très « goûteux », fait avec des os et viandes de porc, veau et bœuf, les légumes traditionnels (carottes, navet, poireaux, céleri en branches, oignon piqué de clous de girofle, bouquet garni) auxquels on ajoute des piments « langues d'oiseaux » du poivre de cayenne et un soupçon de paprika.

• Couper un chou en quatre et le faire blanchir à l'eau salée.

• Dans une cocotte, chauffer le beurre ; déposer les champignons de Paris, légèrement citronnés et coupés en quatre ; ajouter quelques cèpes coupés en morceaux, saler et poivrer, laisser revenir un peu avant d'ajouter les girolles, qui cuiront plus vite.

• Quand les champignons sont suffisamment cuits, ajouter les escargots décoquillés ; saupoudrer de paprika ; arroser avec une bonne louche du bouillon et laisser mijoter à tout petit feu.

• Sortir le chou et bien l'égoutter.

• Chauffer de la graisse de canard dans une poêle et faire fondre les deux petits oignons coupés en lamelles ; ajouter de petits cubes de ventrèche, puis le chou ; laisser cuire à découvert.

• Servir dans un plat creux, les escargots au centre, le chou en couronne ; saupoudrer de persil ciselé.

---

escargots de Gascogne	*cèpes, girolles,*
champignons de Paris	*ail, oignon*
orties	*persil*
chou	*beurre*
paprika, poivre de cayenne	*piments forts*
un bon bouillon	*ventrèche*

Cuisses de grenouille
en persillade

Saler et poivrer généreusement des cuisses de grenouille. Rouler les grenouilles dans la farine, sans excès. Dans une poêle, chauffer de l'huile. Quand elle est très chaude, déposer les cuisses de grenouille et laisser dorer ; retourner et laisser dorer l'autre face ; laisser cuire moins de cinq minutes. Retirer de la poêle et garder au chaud.

• Hacher persil et ail très fin ; au printemps, on peut remplacer l'ail par de l'aillet nouveau ; c'est encore meilleur.

• Dans une casserole, chauffer du beurre. Dès qu'il est fondu, mettre les grenouilles dans la casserole et saupoudrer avec la persillade ; couvrir ; éteindre le feu et attendre trois minutes avant de servir.

cuisses de grenouille	huile
beurre	sel
poivre	persil
ail	

Grenouilles à la Gasconne

Si les grenouilles sont entières, les couper en deux ; on utilise seulement la moitié inférieure : les deux cuisses. Les peler et couper le bout des pattes.

• Faire fondre du beurre dans une casserole, et y jeter les cuisses de grenouille ; saler et poivrer généreusement. laisser cuire tout doucement en ajoutant un soupçon de muscade râpée.

• Décortiquer de grosses crevettes ; garder la tête et les carcasses ; mettre les corps décortiqués dans la casserole avec les grenouilles, saler et poivrer un peu ; couvrir et laisser mijoter.

• Dans une poêle, chauffer de l'huile et faire revenir des échalotes coupées fin ; les laisser devenir transparentes, à petit feu, puis prendre une belle couleur dorée ; ajouter des girolles et les faire revenir un instant avant de les ajouter dans la casserole, avec les grenouilles et les crevettes, sans verser leur huile de cuisson.

• Chauffer de l'armagnac dans une casserole ; quand il bout, le flamber et l'ajouter aux grenouilles, crevettes, champignons.

• Dans une autre poêle, faire fondre du beurre ; y jeter les carcasses et les têtes des grosses crevettes ; saler et poivrer ; ajouter une carotte et un oignon coupés en brunoise (tout petits dés) un peu de blanc de poireau coupé en rondelles fines, laisser revenir ces légumes avant d'ajouter des petits dés de tomates et un peu de persil ciselé, deux gousses d'ail coupées très fin. Arroser avec un vin d'Entre-deux-Mers ; laisser réduire à découvert et feu moyen.

• Passer cette sauce, devenue épaisse, en écrasant bien au pilon têtes et carcasses pour recueillir tous les sucs. Verser cette sauce dans les grenouilles et bien mélanger ; servir aussitôt.

---

grenouilles	*grosses crevettes*
armagnac	*vin blanc sec de l'Entre-deux-Mers*
ail, oignon, échalote	*carottes, poireau, tomates*
persil	*girolles*
sel, poivre	*huile*
muscade	

Cuisses de grenouille
à l'armagnac

Saler et poivrer les cuisses de grenouille ; les faire mariner une vingtaine de minutes dans de l'armagnac.

• Dans une cocotte, chauffer de l'huile d'olive ; quand elle est chaude, ajouter des petits cubes de ventrèche et les laisser fondre sans brûler ; ajouter ensuite l'oignon nouveau et un peu d'aillet ; laisser les légumes s'attendrir et prendre une belle couleur blonde. Les sortir, ainsi que les lardons et mettre de côté.

• Sortir les cuisses de grenouille de la marinade et les éponger. Les passer dans la farine et les mettre à cuire dans le fond de cuisson des lardons et légumes, dans la cocotte ; laisser dorer sur les deux faces, puis retirer et mettre de côté, au chaud.

• Remettre lardons, oignon et aillet dans la cocotte, ajouter un bouquet garni et verser la marinade ; bien mélanger et donner un bon frisson ; lier avec une cuillérée de crème fraîche.

• Servir les grenouilles entourées des lardons et légumes ; napper avec la sauce.

grenouilles	armagnac
sel	poivre
thym	laurier
persil	oignon nouveau
huile d'olive	ventrèche
farine	aillet
crème fraîche	

PETIT ET GRAND BÉTAIL D'AQUITAINE

Agneau de Pauillac

C'est un élevage très ancien, élaboré au temps où les bergers des Landes de Gascogne conduisaient leurs troupeaux en Médoc après les vendanges pour nettoyer les vignes. L'emploi des désherbants avait presque complètement interrompu cet élevage traditionnel entre tous. Grâce à la conjonction d'un groupe d'éleveurs et d'un autre de propriétaires médocains intéressés par le désherbage et la fumure naturels, la production de l'agneau de Pauillac est repartie. Ces agneaux sont conservés deux mois en bergerie et exclusivement nourris au lait ; un lait élaboré à partir d'une pâture où les feuilles de vigne et les petits poireaux sauvages entrent pour une part importante.

Agneau du Périgord

il est élevé uniquement sur le plateau du Causse dominant la vallée de la Vézère et de la Dordogne et dans la zone herbagère du Périgord vert. Cet agneau est alimenté par tétée au pis de la mère durant un minimum de 60 jours. Il reçoit ensuite un complément fait d'un mélange de céréales locales durant un mois.

Agneau de lait des Pyrénées

C'est un animal né et élevé uniquement dans les Pyrénées Atlantiques. Il est issu des races locales : *MANEX* têtes rousses, *MANEX* têtes noires et Basco-Béarnaises. Il est exclusivement nourri sous la mère. Les brebis, elles, s'alimentent en pâtures pendant toute la durée de leur lactation. Ces pâtures sont des prairies ou des pelouses naturelles d'altitude.

Bœuf de Bazas

La région de Bazas est le berceau d'une race locale tout à fait particulière. C'est une vache grise avec les yeux "faits" comme une cocotte vue par Buñuel.

• Autrefois elle était utilisée pour les travaux forestiers, roulage du bois, dessouchage, etc… Il paraît bien que sa continuelle fréquentation de la forêt ait réveillé en elle des souvenirs préhistoriques. C'est sans doute le bovidé le plus apte à pouvoir vivre et prospérer en liberté après une fugue.

• Après la guerre, le cas de petits troupeaux en "vacances" depuis longtemps n'était pas isolé, particulièrement dans les grands espaces peu peuplés de la forêt landaise.

• Les bêtes demeurées dans les fermes, ne sont pas du tout agressives. Elles sont élevées exclusivement à l'herbe dans de vastes parcelles de façon extensive. Elevage traditionnel s'il en fût qui conduit en prenant le temps nécessaire, à la production d'une viande de boucherie exceptionnelle.

• C'est dans le bœuf de Bazas que l'on trouve la viande rêvée pour l'entrecôte bordelaise.

Bœuf de Chalosse

$\mathcal{C}$et animal est issu d'une zone bien délimitée dans les antiques frontières de la petite région naturelle de la Chalosse.

• Les veaux sont nourris de foin, d'herbes fraîches et de maïs concassé.

• Ils sont castrés à un an et sont alors engraissés avec les plus grands soins. Arrivés à maturité (2 ans minimum) ils sont reconnus comme des animaux de qualité bouchère supérieure.

La blonde d'Aquitaine

$\mathcal{d}$e tout temps, l'Aquitaine a été le pays d'origine d'une race de puissantes vaches d'un roux clair, appréciées pour leur viande comme pour leur aptitude aux travaux agricoles, ainsi que pour leur rusticité.

• La blonde d'Aquitaine peut vivre sans problème, toute l'année dehors, ce qui de nos jours en fait de remarquables bêtes à viande, mais n'améliore pas leur docilité.

• Pour la boucherie, le bœuf de "blonde" est élevé sur les grands pâturages aquitains et dispose à volonté d'une nourriture de complément à base de céréales. sa viande est d'une grande finesse de grains et possède une très faible teneur en graisse.

LES VIANDES

Par « vivere » les Romains désignaient tout ce qui est nécessaire à la vie. Nous en avons fait les « vivres » mais aussi « viande » issu du bas latin médiéval « vivenda », avec toujours la même signification.

Au temps de Madame de Sévigné, viande était encore tout ce qui sert à la nourriture de l'homme, ragoût, rôti de veau, salade ou noix.

Aujourd'hui, malgré une acception plus précise désignant la chair des animaux de consommation, nous nous sentons obligés de spécifier viandes de… mouton, de canard, de bœuf etc. comme au temps des premiers capétiens.

On a toujours classé la viande par couleur, c'est peu scientifique mais charmant. De nos jours, on connaît la viande rouge de boucherie et la blanche du volailler. Nos ancêtres directs connaissaient également la viande noire : celle du cerf, du daim, du chevreuil, du lièvre et de la bécasse.

Chalosse, petit, tout petit pays béni où tout prospère dans un même bonheur discret.

La principale différence entre le bœuf en daube et le bœuf mode est la suivante : vin rouge pour la daube, vin blanc pour le bœuf mode.

Le bœuf en daube

Selon la tradition, les morceaux de bœuf devraient être découpés en forme de gros cubes de quatre à cinq centimètres de côté.

• Chauffer de la graisse de canard dans une cocotte ; quand elle est bien chaude, faire revenir les morceaux de bœuf qui doivent être bien saisis. Saler et poivrer. Laisser cuire un peu.

• Ajouter des carottes coupées en rondelles, des oignons (nouveaux, si c'est la saison) des lardons coupés dans la ventrèche, deux couennes de porc, bouquet garni (thym, laurier, persil) ; laisser fondre et mijoter.

• Chauffer l'armagnac dans une petite casserole ; quand il bout, le flamber et le verser dans la casserole. Ajouter les gousses d'ail écrasées.

• Chauffer le vin rouge dans une casserole ; quand il bout, le flamber pour brûler l'alcool ; le vin perdra son acidité et sera meilleur, moins fort ; le verser dans la cocotte.

• Couvrir la viande avec le vin et cuire deux heures. Laisser reposer et cuire à nouveau deux heures le lendemain.

---

bœuf (demandez à votre boucher
des morceaux convenant à la daube)

vin rouge corsé	*armagnac*
carottes	*oignons*
ail	*laurier*
persil	*échalote*
thym	*jambon de pays*
ventrèche	*couennes de porc*
graisse de canard	

Le bœuf mode

*M*ettre les morceaux de viande dans un saladier, saler et poivrer. Ajouter des carottes coupées en rondelles, des oignons en lamelles, deux échalotes, une feuille de céleri, quatre clous de girofle et du persil. Arroser généreusement avec le vin blanc.

• On peut ajouter un soupçon d'armagnac ou de fine champagne.

• Laisser mariner, au frais au moins douze heures.

• Le lendemain, sortir la viande et l'éponger.

• Dans une cocotte, faire fondre de la graisse de canard ; quand elle est bien chaude, saisir et faire revenir les morceaux de bœuf. Ajouter l'échalote coupée, des petits cubes de ventrèche ; laisser fondre à bon feu.

• Ajouter le liquide de la marinade, sans les légumes.

• Couvrir presque complètement, tout en laissant un filet d'air et cuire doucement environ deux heures.

• Le lendemain, cuire à nouveau deux bonnes heures, en surveillant ; la sauce doit réduire et épaissir sans qu'il soit nécessaire d'ajouter une liaison. On dit que la sauce « se lie par réduction ».

bœuf coupé en morceaux	*vin blanc*
carottes	*oignons*
échalotes	*une feuille de céleri*
laurier	*thym*
persil	*clous de girofle*
armagnac	*graisse de canard*

Daube de bœuf de Chalosse

*d*ans une cocotte, faire fondre de la graisse de canard. Quand elle est bien chaude, mettre des morceaux de bœuf coupés en gros dés, saler, poivrer et laisser la viande prendre couleur sur toutes les faces. Ajouter l'oignon coupé grossièrement, le laisser fondre et prendre légèrement couleur, en surveillant le feu. Ajouter des petits cubes de ventrèche, ail, thym, laurier et persil, puis une belle carotte coupée en rondelles ; remuer, couvrir et laisser mijoter un peu.

• Chauffer l'armagnac dans une petite casserole ; quand il bout, le flamber et le verser dans la cocotte.

• Chauffer le vin rouge ; quand il bout, le flamber et le verser, de même ; le vin doit couvrir la viande.

• Cuire à tout petit frisson au moins trois heures.

• Le lendemain, cuire à nouveau une demi-heure.

• La daube peut se préparer plusieurs jours à l'avance ; en ce cas, il faut la réchauffer et la faire cuire à petit frisson une dizaine de minutes chaque jour.

(1) Zone fertile faite de collines dans le Piémont des Pyrénées Atlantiques.

bœuf de Chalosse (1)	*jambon de Bayonne*
ventrèche	*carottes*
oignon	*échalote*
thym	*laurier*
persil	*sel*
poivre	*vin rouge corsé*
armagnac	*graisse de canard*

Daube de bœuf aux pruneaux

*l*a veille, mettre les pruneaux à mariner dans un bol, d'armagnac.

• Découper la viande en cubes d'environ cinq centimètres de côté. Les mettre à mariner dans un grand plat, avec persil, thym, une feuille de laurier, le jus d'une orange et une tranche d'orange, baies de genièvre, oignon coupé en lamelles, clous de girofle, sel et poivre, couvrir avec au moins un litre de vin rouge corsé.

• Le lendemain, dans une poêle, faire revenir des petits oignons, des carottes coupées en cubes, saler et poivrer, laisser mijoter un peu.

• Dans une autre poêle faire fondre de la graisse de canard et revenir les morceaux de bœuf ; ne pas saler et poivrer, la marinade était assez assaisonnée. Faire dorer les morceaux sur toutes leurs faces.

• Mettre une cocotte sur le feu et verser la viande bien revenue, ainsi que les légumes. Ajouter le liquide de la marinade, les pruneaux et leur bain d'armagnac, un zeste et quelques tranches d'orange. Couvrir et cuire à petit feu au moins une heure et demie.

• Autrefois, on commençait la daube trois jours avant au moins.

• 1° jour : marinade ; 2° jour : une heure de cuisson environ ; 3° jour : une dizaine de minutes de cuisson ; 4° jour : encore une dizaine de minutes de cuisson.

• Plus la daube est mijotée, meilleure elle est.

---

un beau morceau de bœuf pris dans l'anguille, de préférence
Autrefois, on utilisait surtout pour la daube
le « mince de cuisse » que l'on appelle « dessous de cuisse » à
Bordeaux et « semelle » à Paris.
pruneaux, oranges   persil, thym, laurier
baies de genièvre   clous de girofle, carottes
oignon, oignon nouveau (au printemps)
vin rouge corsé   sel, poivre

Le petit salé aux lentilles

*C*hauffer de l'eau dans une marmite ; quand elle bout, mettre le camajo. Couvrir et laisser frémir environ une heure.

• Pendant ce temps, trier avec soin les lentilles (il reste souvent des petits cailloux) ; les laver ; égoutter, et cuire environ dix minutes dans de l'eau salée.

• Préparer un joli bouquet avec une feuille de céleri, un brin d'estragon, deux feuilles de laurier, thym, persil.

• Sortir le jambon de la marmite et jeter l'eau. Remettre de l'eau claire, avec le jambon, le bouquet garni et du poivre. Ne pas saler. Couvrir et mijoter.

• Planter quatre clous de girofle dans un bel oignon et l'ajouter dans la marmite, avec trois gousses d'ail, trois ou quatre carottes coupées en rondelles ; laisser cuire. Puis ajouter les lentilles que l'on a égouttées. Couvrir. Pendant que le petit salé et les légumes « frissonnent » dans la marmite, dans une poêle, faire cuire de belles saucisses de campagne. Ajouter des cubes découpés dans une belle tranche de jambon de pays.

• Ajouter dans la marmite les couennes confites, les cous coupés en deux et enfin les saucisses qui ont doré, mais pas cuit, et le jambon.

• Couvrir et laisser cuire encore une dizaine de minutes. Goûter et rectifier l'assaisonnement, si nécessaire.

---

lentilles	*céleri en branches*
carottes	*thym*
laurier et persil	*estragon*
oignon	*ail*
clou de girofle	*cous d'oie ou de canard confits*
couenne de porc confite	*croustelles de porc confites*

jambon frais salé, dit « camajo », soit l'os d'un jambon, quand on a presque tout mangé.

jambon sec

Paleron de bœuf
à la bière brune

*d*ans une cocotte, chauffer de l'huile ; quand elle est très chaude, déposer le paleron, qui doit être « saisi » ; saler et poivrer, laisser prendre couleur ; retourner le morceau, saler et poivrer à nouveau, laisser colorer.

• Couper de l'oignon en morceaux et l'ajouter dans la cocotte, baisser le feu ; écraser des gousses d'ail et les ajouter, avec deux tomates coupées en morceaux et un bouquet garni (thym, laurier, persil, cerfeuil). Mijoter à couvert un moment.

• Quand les légumes sont affaissés, ajouter assez de bière brune pour couvrir la viande et laisser frissonner tout doucement avec le couvercle posé, mais pas tout à fait fermé : le liquide doit pouvoir s'évaporer, ce qui permet la réduction en sauce. Prévoir au moins deux heures de cuisson.

• Sortir le paleron et le couper en tranches épaisses.

• Verser le contenu de la cocotte dans une passoire et bien écraser les légumes au pilon. Recouvrir la viande avec cette sauce.

---

paleron de bœuf (morceau pris dans l'épaule)

bière brune	*persil*
thym	*laurier*
cerfeuil	*oignon*
ail	*tomates*
huile	*sel*
poivre	

Entrecôte à la moelle
au champagne

*P*réparer une bonne braise de sarments de vigne. Les merlots sont recommandés. Saler et poivrer l'entrecôte et la déposer sur le gril, dans la cheminée.

• Chauffer de l'huile dans une poêle ; y jeter des échalotes coupées fin ; laisser fondre un peu, puis ajouter un verre de champagne et les girolles ; saler et poivrer ; laisser cuire en surveillant ; puis ajouter un peu de porto et du bouillon.

• Mettre l'os à moelle dans un liquide bouillant (eau ou bouillon) juste assez de temps pour décoller la moelle de l'os et pouvoir la sortir intacte, en la poussant délicatement avec les doigts. Couper cette moelle en rondelles et les faire cuire dans la poêle, avec girolles, champagne etc.

• On aura surveillé l'entrecôte sur le feu ; retourner, saler et poivrer, terminer la cuisson. Présenter l'entrecôte avec les rondelles de moelle dessus, les girolles autour, le jus réduit servi en saucière.

un bon bouillon fait avec :

bœuf	*veau*
porc	*carottes*
navets	*poireaux*
oignon	*feuille de céleri*
clous de girofle	*thym*
laurier	*persil*
sel	*poivre*
entrecôte	*un os à moelle*
échalotes	*girolles*
porto	*champagne*
sel	*poivre*
huile	

Entrecôte à la sauce d'ail

*C*hauffer de la graisse de canard dans une poêle ; y mettre des gousses d'ail non pelées et les laisser cuire à petit feu.

• Dans une casserole, verser un litre de vin rouge avec une belle poignée d'échalotes coupées très fin.

• Ecraser des baies de genièvre et des grains de poivre avec le fond d'une casserole, en appuyant fort ; on appelle cela une « mignonnette ».

• Saler et poivrer la viande, la frotter avec la mignonnette sur ses deux faces et la faire cuire sur le gril, cinq à dix minutes (selon l'épaisseur).

• Présenter l'entrecôte entourée des gousses d'ail bien cuites et légèrement dorées ; arroser avec la sauce au vin et aux échalotes passée en écrasant au pilon pour recueillir tous les bons sucs.

Ail, condiment essentiel, dénominateur commun de toutes les recettes ensoleillées. C'est l'armature de la cuisine des mousquetaires.

Entrecôte choisie dans une « Blonde d'Aquitaine »
graisse de canard   ail
vin rouge corsé
(Pomerol, Buzet ou Cahors)   échalotes
baies de genièvre

140

Tournedos Rossini
façon Maïté

Outre la Cenerentola et Semiramis, Rossini nous a laissé quelques somptueux plats empreints de la générosité du XIXe. On lui connaissait une ancienne manie : celle de se promener avec une seringue en argent emplie de foie gras dont il garnissait les macaronis. Maïté n'a point tenté la seringue, mais l'interprétation, toute fortissimo, de son tournedos.

• Couper de belles tranches dans un vrai pain de campagne.

• Fondre de la graisse de canard dans une poêle ; quand elle est bien chaude, faire dorer la tranche de pain sur les deux faces, sans la brûler.

• Dans une autre poêle, saisir le tournedos, saler et poivrer. Poser à côté, dans la même poêle, une belle tranche de foie de canard gras, saler et poivrer.

• Retourner la tranche de pain.

• Retourner le tournedos, saler et poivrer à nouveau, retourner la tranche de foie, saler et poivrer.

• Disposer sur une assiette la tranche de pain grillé, la napper avec un peu de fumet de vieux cèpe. Déposer par-dessus le tournedos, et encore par dessus la tranche de foie gras ; couronner cette pyramide avec quelques gros cèpes et arroser généreusement avec le fumet. Servir aussitôt.

---

une belle tranche coupée dans le filet du bœuf
une belle tranche de foie de canard gras cru
cèpes   porto
sel   poivre
pain de campagne

Filet de bœuf dacquoise

*l*a veille, couper des beaux tournedos dans un filet de bœuf. Les mettre à mariner avec oignons, échalote, grains de poivre, baies de genièvre et sel ; arroser avec de l'armagnac et un peu de kirsh ; la viande doit être entièrement recouverte par le liquide.

• Le lendemain, sortir les tournedos de la marinade ; les éponger et les mettre à cuire, à sec, au gril ou dans une poêle brûlante. Inutile de saler et poivrer ; la marinade était assaisonnée. Cuire selon le goût de chacun.

• Dans une autre poêle, chauffer un peu de graisse de canard ; mettre des échalotes coupées très fin et les laisser devenir transparentes, en surveillant le feu, puis leur faire prendre une belle couleur blonde. Ajouter des cèpes et les faire revenir. Arroser avec deux verres de marinade et laisser réduire le liquide.

• Servir les tournedos, nappés avec le contenu de la poêle.

---

filet de bœuf choisi dans « une blonde d'Aquitaine »

oignon	*échalote*
cèpes	*grains de poivre*
baies de genièvre	*feuilles de persil*
sel	*poivre*
armagnac	*kirsh*

Roulades de bazadaise au cresson et aux noix

découper des escalopes fines dans une entrecôte ou du filet. Les aplatir un peu avec le plat du hachoir, comme on le fait pour des émincés de veau.

• Dans une marmite, faire bouillir de l'eau avec assez de gros sel. Faire blanchir dans cette eau des feuilles de cresson (les plonger dans l'eau bouillante ; attendre que l'ébullition reprenne et les sortir aussitôt ; les plonger dans une eau très froide).

• Egoutter et éponger ces feuilles de cresson ; les hacher fin.

• Décortiquer des noix et hacher les cerneaux.

• Hacher des filets d'anchois.

• Effeuiller un peu de romarin et le hacher grossièrement.

• Dans une poêle, chauffer de la graisse de canard et faire revenir la poudre de noix, ajouter les anchois, le romarin, un peu de sel et de poivre, le cresson. Surveiller cette farce sur le feu un instant pour favoriser le mélange des goûts.

• Etaler cette farce sur les escalopes de bœuf et enrouler ; fixer le rouleau avec une pique de bois.

• Dans une cocotte, mettre de la graisse de canard ; quand elle est bien chaude, déposer les roulades et laisser cuire, selon le goût de chacun.

---

entrecôte ou filet de bœuf de Bazas

cresson	*noix*
anchois	*romarin*
graisse de canard	*sel*
poivre	*gros sel*

Pain de bœuf à la bazadaise

*d*eux heures avant, tremper les raisins secs dans un bol rempli d'armagnac.

• Couper tous les légumes en brunoise. Mettre de la graisse de canard dans une poêle et la chauffer ; y jeter la brunoise de carottes, céleri en branche, aubergine, poivrons verts et rouges ; saler et poivrer ; ajouter un peu d'origan et laisser tous ces légumes cuire doucement et s'affaisser. Ajouter alors de l'ail coupé fin et des tomates, dont la cuisson est plus rapide. Ajouter enfin les raisins gonflés dans l'armagnac.

• Passer la viande au hachoir. Couper une belle tranche de pain de campagne et la passer aussi au hachoir, comme la viande. Mélanger dans un saladier viande et pain hachés ; saler et poivrer ; ajouter la moitié des légumes cuits dans la poêle et bien mélanger.

• L'autre moitié des légumes continuera à réduire à petit feu, jusqu'à réduction complète du liquide.

• Blanchir des feuilles de chou, bien vertes, dans de l'eau bouillante très salée (tremper et laisser moins de trois minutes dans l'eau). Les sortir et les rafraîchir aussitôt ; éponger.

• Tapisser un moule à baba avec ces feuilles en les laissant dépasser à l'extérieur, afin de pouvoir les replier en couvercle après avoir rempli le moule.

---

un joli morceau de bon bœuf de Bazas

armagnac	*raisins secs de Corinthe*
carottes	*céleri en branches*
poivrons verts	*poivrons rouges*
aubergine	*tomates*
un chou vert	*ail*
origan	*sel*
poivre	*graisse de canard*
pain de campagne	

• Remplir avec le mélange viande-pain et légumes et bien tasser ; rabattre les feuilles dessus. Au besoin ajouter quelques feuilles afin que la viande soit complètement couverte.

• Cuire à four moyen environ une heure.

• Sortir le moule et le retourner sur un plat ; démouler et enlever les feuilles de chou. Remplir le centre de la couronne avec les légumes réduits dans la poêle.

• Si vous êtes à la campagne et pouvez disposer d'une cheminée, faites chauffer à blanc le cocuron (que l'on appelait autrefois « capucin »), un petit entonnoir soudé au bout d'une longue tige métallique. Glisser dans l'entonnoir un joli morceau de gras de jambon ; au contact du métal brûlant, le gras prend feu et flambe, il fond et s'écoule par le fond de l'entonnoir : arroser le pain de viande avec ce gras flambé ; il donne un goût savoureux.

En pays gascon on ne conserve pas les traditions on les vit. Cette ferme n'est pas un vestige.

Langue de bœuf,
sauce aux câpres

*M*ettre la langue de bœuf dans une marmite remplie d'eau tiède.

• Ajouter du gros sel, poivre, un oignon piqué de trois ou quatre clous de girofle, un poireau, quatre ou cinq carottes (selon grosseur) le bouquet garni (thym, laurier et persil) une feuille de céleri et deux gousses d'ail. Couvrir et laisser cuire à petits frissons deux heures au moins.

• La langue est cuite quand une lame de couteau la pénètre facilement.

• Sortir la langue de la marmite ; la peler, ce qui est facile. Elle peut se garder au frais pendant huit jours.

• Avant de servir, découper de belles tranches et les chauffer dans une sauce, sauce tomate ou sauce aux câpres.

• On peut aussi servir la langue avec une sauce vinaigrette, améliorée avec un œuf dur écrasé à la fourchette et une bonne persillade.

Bœufs de Chalosse aussi forts que sûrs, capables peut-être de reprendre un jour au tracteur, la place qu'il leur a prise.

langue de bœuf	*poireaux*
carottes	*oignon*
échalote	*ail*
céleri en branche	*thym*
laurier	*persil*
clou de girofle	*gros sel*
poivre	

Sauce aux câpres

*h*acher une belle tranche de jambon et autant de ventrèche, trois gousses d'ail et l'échalote.

• Dans une cocotte, faire fondre de la graisse de canard ; quand elle est bien chaude, faire revenir le hachis. On ne sale pas car le jambon et la ventrèche sont suffisamment salés.

• Saupoudrer d'un peu de farine et laisser revenir sur le feu.

• Dans une casserole, chauffer un demi-litre de vin blanc ; quand il bout, le flamber et le verser dans la cocotte. Laisser mijoter une demi-heure environ.

• Ajouter autant d'un bon bouillon que de vin, et laisser encore mijoter une bonne demi-heure. Ajouter alors les câpres. Goûter et rectifier l'assaisonnement si nécessaire.

• Cette sauce, assez relevée, accompagne parfaitement une langue de bœuf.

câpres	*jambon de pays*
ventrèche (lard de poitrine)	*échalote*
ail	*graisse de canard*
vin blanc sec	*bouillon*

Potée de cochon de lait

Couper le chou en morceaux et le faire blanchir dans l'eau bouillante et salée.

• Dans une poêle où grésille la graisse de canard, faire dorer les côtes et les morceaux d'épaule du cochon de lait. Saler et poivrer.

• Dans une autre poêle, faire dorer doucement des tranches de ventrèche.

• Le chou est blanchi : il est attendri, sans être cuit ; le sortir, l'égoutter et le faire revenir avec les tranches de ventrèche.

• Dans une cocotte, faire fondre de la graisse de canard ; quand elle est chaude, alterner des couches de chou et des morceaux de cochon de lait bien dorés, ajouter les tranches de ventrèche, arroser avec quelques louches d'un bouillon bien corsé. « Egayer » cette potée avec quelques piments forts d'Espelette.

• Couvrir la cocotte et laisser mijoter à petit feu au moins deux heures.

"Faire" le jambon, le boudin, les pots de pâtés, bien plus que travailler c'est l'affaire de famille par excellence.

cochon de lait (épaules et côtes)	*chou*
ventrèche	*bouillon*
piments d'Espelette	*sel*
poivre	*graisse de canard*

Poitrine de veau farcie

*h*acher le jambon, la ventrèche, les oignons et les échalotes, l'ail. Hacher le persil et l'ajouter. Saler et poivrer, pas trop.

• Remplir la poche et coudre avec une grosse aiguille et de la ficelle. Si l'on a pas pu se procurer le morceau ouvert en poche, on peut utiliser une tranche de quasi, déposer la farce tout au long au milieu, rouler comme un rôti, ficeler et coudre les deux extrêmités.

• Arroser généreusement de graisse de canard et cuire au four environ deux heures. bien surveiller la cuisson ; la farce doit cuire, mais la viande ne doit pas brûler à l'extérieur.

• Pour servir, on découpe de belles tranches que l'on nomme, dans les Landes, de belles « lèches » de poitrine de veau farcie.

Poitrine de veau, préparée par le boucher avec une poche.

POUR LA FARCE :

jambon	*ventrèche*
oignon	*persil*
échalote	*ail*
sel	*poivre*
graisse de canard	

A PROPOS DE VOLAILLE D'AQUITAINE

L a grande considération dont jouit actuellement la volaille d'Aquitaine n'est pas une nouveauté. Déjà, au temps des Bituriges Vivisques premiers occupants nommément connus du large pourtour de l'estuaire de la Gironde, la basse-cour était la plus réputée de ce qui sera mille ans plus tard, la terre de France. Ces Bituriges s'étant assurés de la route naturelle de l'étain de Cornouailles eurent grand commerce avec Rome qui consommait d'énormes quantités de bronze pour cuirasser ses légions. Riches, les Bituriges adoptèrent le goût du luxe et de la civilisation, bien avant que César ne s'avisât de franchir le Rubicon.

La table allait de pair, habitude qui se perpétua sans faiblir jusqu'à nos jours.

A l'époque d'Aliénor, lorsque l'Aquitaine devint britannique, des clercs normands qui se croyaient anglais établirent un très minutieux inventaire de ce nouveau kingdom. C'est grâce à lui que nous savons qu'au temps de notre duchesse-reine, la basse-cour du vilain était beaucoup plus fournie que la nôtre.

On y trouvait "toutes espèces de gélines" bien sûr et des faisans de Phase (aujourd'hui Rion petit fleuve de Géorgie), des

Dès que tombe le jour, les poulets quittent les champs pour s'entasser peureusement dans les abris jusqu'au matin.

168

canards, des pintades d'Afrique via l'Espagne mais aussi des oiseaux de "luxe", cygnes, paons, hérons et même des cigognes.

Dans la Rome impériale des immenses gourmands, stigmatisés par Horace, poète branché qui faisait dans l'indignation, on payait couramment un paon rôti, farci et apprêté avec ses plumes, 50 deniers d'argent, presque le double de ce que le Sanhédrin avait versé à Judas.

Actuellement, la basse-cour du grand Sud-Ouest est toujours d'une haute qualité. Ce n'est pas faute d'un métissage constant depuis 150 ans. Vous serez sans doute amusés d'apprendre que les souches qui prospèrent aujourd'hui en Aquitaine sont issues du croisement plus ou moins volontaire de la poule de Houdan, la Sussex, la Leghorn, l'Espagnole, la Nagasaki, la Faverolles (son coq est le modèle du coq gaulois) celle de la Flèche, la Cochinchinoise, la Batam argentée, la Dorsing, la coucou de Rennes et sans doute quelques autres plus furtives.

Un tel « assemblage » n'a rien pour surprendre en pays de hauts cépages. Ainsi sont les poulets noirs du Sud-Ouest, les "jaunes" des Landes, les rouges cous-nus, etc...

Cependant, ce n'est pas tant la pureté d'une espèce qui compte que la bonne façon d'élever, de bichonner la volaille pour en faire des gentils chefs-d'œuvre de sapidité et de tendreté. Et là, on peut entièrement faire confiance aux éleveurs de grande Gascogne.

GIBIER ET VENAISON

C e sont des produits de la chasse et par conséquent nous pouvons sans crainte en exclure le
faisan élevé intensivement et qui n'a pas plus
de goût que son cousin poulet de la batterie voisine. Tous les
autres gibiers sont « sauvages » – ce qui au siècle des lumières
signifiait toujours « qui ne peut se domestiquer ». Dans
nombre de chasses, les faisans élevés en volières sont lâchés
plusieurs semaines avant l'ouverture pour avoir le temps de
se refaire une santé.

Le gibier se classe en quatre catégories : petit gibier, gibier,
sauvagine et grand gibier dont provient la venaison.

Le petit gibier : ce sont les trois espèces de grives, les
pigeons, la tourterelle des bois, les cailles, les étourneaux de
fin de saison (ceux du début sentent encore la fourmi).

Le gibier : désigne le lapin, le lièvre, le faisan (le vrai) la
perdrix, le coq de bruyère etc.

La sauvagine : est représentée par les commensaux des
marais : bécassines, courlis, canards, oies, grues, etc.

La bécasse, gibier unique tant pour la difficulté de sa chasse que par sa saveur et les légendes qui s'y attachent, est
qualifiée de « gibier de poche ». C'est la proie rare et personnelle par excellence, celle que l'on ne partage pas en fin de
journée.

Fraternel et matinal départ
pour la palombière.
Sans les chasseurs,
comment goûterait-on au
salmis de palombe ?

canards, des pintades d'Afrique via l'Espagne mais aussi des oiseaux de "luxe", cygnes, paons, hérons et même des cigognes.

Dans la Rome impériale des immenses gourmands, stigmatisés par Horace, poète branché qui faisait dans l'indignation, on payait couramment un paon rôti, farci et apprêté avec ses plumes, 50 deniers d'argent, presque le double de ce que le Sanhédrin avait versé à Judas.

Actuellement, la basse-cour du grand Sud-Ouest est toujours d'une haute qualité. Ce n'est pas faute d'un métissage constant depuis 150 ans. Vous serez sans doute amusés d'apprendre que les souches qui prospèrent aujourd'hui en Aquitaine sont issues du croisement plus ou moins volontaire de la poule de Houdan, la Sussex, la Leghorn, l'Espagnole, la Nagasaki, la Faverolles (son coq est le modèle du coq gaulois) celle de la Flèche, la Cochinchinoise, la Batam argentée, la Dorsing, la coucou de Rennes et sans doute quelques autres plus furtives.

Un tel « assemblage » n'a rien pour surprendre en pays de hauts cépages. Ainsi sont les poulets noirs du Sud-Ouest, les "jaunes" des Landes, les rouges cous-nus, etc…

Cependant, ce n'est pas tant la pureté d'une espèce qui compte que la bonne façon d'élever, de bichonner la volaille pour en faire des gentils chefs-d'œuvre de sapidité et de tendreté. Et là, on peut entièrement faire confiance aux éleveurs de grande Gascogne.

Le pot au feu du braconnier

*d*ans une grande marmite remplie d'eau salée et poivrée, bouillante, mettre deux ou trois poireaux, une branche de céleri, carottes et navets, un oignon piqué de clous de girofle, quatre échalotes, trois gousses d'ail pelées et écrasées, quelques brins de sariette fraîche et une feuille de laurier. Laisser cuire à découvert et à petit frisson une heure.

• Dans une poêle où chauffe la graisse de canard, faire revenir des oignons coupés en lamelles et les laisser doucement prendre couleur d'or pâle.

• Hacher à la moulinette un peu de gorge de porc frais, le foie du lapin, et une belle tranche de pain de campagne (croûte et mie) trempée dans du lait ; saler et poivrer cette farce ; ajouter l'oignon bien doré et un œuf entier ; bien mélanger.

• Avec une grosse aiguille et de la ficelle de cuisine, fermer l'arrière-train du lapin, en fixant le rognon « là où il faut ». Remplir la poche ainsi préparée avec la farce et terminer la couture.

• Mettre le lapin farci dans la marmite et surveiller la cuisson, qui demande environ une heure pour un lapin jeune, le double pour un aïeul.

Passer des tranches de ventrèche rapidement à la poêle, sur les deux faces et les ajouter dans la marmite.

• Le lapin sera découpé en tranches, servi avec les légumes et la ventrèche.

lapin	*3 navets*
250 g de gorge de porc	*une branche de céléri*
3 belles carottes	*3 gousses d'ail*
un gros oignon	*3 poireaux*
4 échalotes	*sel, poivre*
clous de girofle	*graisse de canard*
pain de campagne	*une feuille de laurier*

Coq au champagne

*P*lumer et vider le coq. Couper les pattes. Couper oignons et échalotes et les faire revenir dans une poêle : quand ils deviennent transparents, ajouter l'ail. Laisser fondre. Saler et poivrer.

• Par ailleurs, hacher de la ventrèche, le foie, le cœur et le gésier du coq, les ajouter dans la poêle ; arroser avec le champagne et laisser mijoter bien doucement. On peut ajouter un peu de persil haché.
Saler et poivrer le coq, intérieur et extérieur.
Remplir le coq avec cette farce. Coudre avec une grosse aiguille et de la ficelle fine.

• Déposer le coq dans une marmite. Couvrir avec le bouillon et une bouteille de champagne. Cuire environ deux heures… si le coq n'est pas trop vieux. Servir avec les légumes du bouillon, ou passer les légumes dans le jus pour l'épaissir.

un coq	*champagne*
ventrèche	*oignon*
ail	*échalote*
navet	*poireau*
carottes	*persil*
sel	*poivre*

Poulet au cidre

*d*écouper le poulet. Mettre de côté les morceaux nobles. Ouvrir la carcasse en deux dans la longueur et la débiter en morceaux au hachoir ; elle sera utilisée pour le fond de la sauce.

• Saler et poivrer les morceaux nobles ; les mettre dans une jatte et les recouvrir avec le cidre. Ajouter un peu de vinaigre de cidre et laisser mariner une heure au moins.

• Dans une cocotte, chauffer de la graisse de canard ; y jeter les morceaux de carcasse et les laisser prendre couleur, saler et poivrer. Ajouter une carotte coupée en rondelles, l'oignon coupé en lamelles, un peu d'échalote, estragon frais, persil, thym, laurier ; couvrir et laisser mijoter à feu doux.

• Sortir les morceaux nobles de la marinade et les éponger.

• Dans une poêle, fondre de la graisse de canard ; déposer les ailes, les cuisses, les entre-cuisses ; les laisser dorer sur toutes les faces.

• Chauffer dans une petite casserole de l'armagnac, du vinaigre de cidre en quantités égales ; flamber et verser dans la poêle, sur les morceaux de poulet. Ajouter deux louches de liquide prélevé dans la cocotte. Couvrir et laisser cuire environ quarante minutes.

• Présenter les morceaux de poulet dans un plat creux ; recueillir le fond de sauce et les légumes dans la cocotte, et les passer au-dessus du poulet, en écrasant bien au pilon.

poulet	*armagnac*
cidre doux	*vinaigre de cidre*
graisse de canard	*carotte*
oignon	*échalote*
estragon	*persil*
thym	*laurier*
sel	*poivre*

Blancs de volaille
à la sariette
et aux pousses d'orties

*d*écouper les blancs de poulet sans abîmer la peau. Glisser la sariette entre la chair et la peau.

• Chauffer la graisse de canard dans la poêle ; poser les blancs de poulet, peau au contact de la poêle, saler et poivrer, laisser dorer environ cinq minutes.

• Détacher les petites pointes des orties et les faire blanchir dans une casserole remplie d'eau bouillante, salée. Les sortir et bien les égoutter.

• Ajouter les orties dans la poêle et les faire rissoler un instant dans le jus de cuisson du poulet.

"Cou-nu" rouge dit "de Gascogne", poulet-roi des Landes.

blancs de poulet	*sariette*
graisse de canard	*sel*
poivre	*branches d'orties*

Poulet basquaise
et pipérade, sanguette

Si l'on a la chance de pouvoir se procurer un canard vivant, le saigner, au cou, et recueillir le sang dans une écuelle : on en fera la « sanguette » (voir la recette page 175).

• Plumer et vider le canard, le découper en morceaux.

• Faire chauffer de la graisse de canard dans une cocotte ; quand elle est bien chaude, faire revenir les morceaux de poulet, saler et poivrer, laisser bien dorer.

• Par ailleurs, dans une poêle, faire fondre la graisse de canard et, quand elle est bien chaude, y jeter des oignons coupés en lamelles ; les laisser fondre et devenir transparents. Ajouter alors les tomates coupées en morceaux. Laisser mijoter environ une demi-heure.

• Pendant ce temps, le poulet a bien doré ; ajouter du jambon de pays coupé en cubes ; cela relève le goût. Puis ajouter dans la cocotte poivrons verts et rouges, épépinés et coupés en morceaux, puis les piments d'Espelette, coupés en longueur avec les pépins.

• Ajouter persil, thym, laurier, une gousse d'ail écrasée ; couvrir et laisser mijoter. Quand les poivrons sont tendres, ajouter les tomates et les oignons et laisser encore mijoter un bon quart d'heure.

un beau poulet	*jambon de pays*
oignon nouveau (de préférence)	*poivrons rouges*
poivrons verts	*piments d'Espelette*
tomates	*thym*
laurier	*ail*
graisse de canard	*sel*
poivre	*persil*

La pipérade

C haque village du pays Basque revendique la "vraie" pipérade : un « fondu » de légumes, indiqués ci-dessous, auquel on ajoute, soit du jambon de pays, soit des œufs battus en omelette. Certains utilisent seulement des poivrons et piments forts, d'autres ajoutent des oignons, Maïté ne craint pas d'y mettre aussi des aubergines, mais ne met pas d'œufs. La recette est toujours la même :

• Fondre les oignons coupés en lamelles ; quand ils sont transparents, ajouter les tomates, pelées et coupées en morceaux, puis les poivrons, les piments avec leurs graines, les aubergines si on les souhaite, une belle gousse d'ail écrasée, sel et poivre. Quand les légumes sont cuits, on ajoute le jambon de pays ou les œufs battus que l'on mélange en "brouillant" comme pour les œufs brouillés…

Bon appétit!

oignons	*ail*
poivrons verts et rouges	*piments d'Espelette*
tomates	*jambon de pays*
œufs	*aubergines (facultatif)*

La sanguette

f aire revenir les lardons, ajouter le sang, sel, poivre, ail haché fin et persil ciselé ; laisser « prendre », retourner comme une crêpe, laisser cuire l'autre face.

• La sanguette se mange aussitôt, bien chaude, en apéritif ou en « casse-croûte », en entrée.

le sang du canard	*lardons crus (jambon de pays*
ail	*découpés en cubes)*
persil	*sel, poivre*

GIBIER ET VENAISON

Ce sont des produits de la chasse et par conséquent nous pouvons sans crainte en exclure le faisan élevé intensivement et qui n'a pas plus de goût que son cousin poulet de la batterie voisine. Tous les autres gibiers sont « sauvages » – ce qui au siècle des lumières signifiait toujours « qui ne peut se domestiquer ». Dans nombre de chasses, les faisans élevés en volières sont lâchés plusieurs semaines avant l'ouverture pour avoir le temps de se refaire une santé.

Le gibier se classe en quatre catégories : petit gibier, gibier, sauvagine et grand gibier dont provient la venaison.

Le petit gibier : ce sont les trois espèces de grives, les pigeons, la tourterelle des bois, les cailles, les étourneaux de fin de saison (ceux du début sentent encore la fourmi).

Le gibier : désigne le lapin, le lièvre, le faisan (le vrai) la perdrix, le coq de bruyère etc.

La sauvagine : est représentée par les commensaux des marais : bécassines, courlis, canards, oies, grues, etc.

La bécasse, gibier unique tant pour la difficulté de sa chasse que par sa saveur et les légendes qui s'y attachent, est qualifiée de « gibier de poche ». C'est la proie rare et personnelle par excellence, celle que l'on ne partage pas en fin de journée.

Fraternel et matinal départ pour la palombière. Sans les chasseurs, comment goûterait-on au salmis de palombe ?

La venaison : c'est la chair d'un grand animal dont la capture nécessitait une action de vénerie : cerf, chevreuil, daim, sanglier.

Les grands animaux de montagne, chamois, isards, mouflons font l'objet d'une chasse sélective particulière locale.

Notons qu'à l'origine gibier et vénerie signifiaient la même chose : gibier vient du francisque : Gabaiti : chasser. Venationis en latin, c'est également la chasse et la récolte du venor (chasseur) aidé de ses canes venatici (chiens de chasse) c'est le venatio, la venaison.

Certains pourraient penser qu'il était possible de se passer de ces précisions. Ce serait oublier une certaine importance des termes de vénerie dans le français courant. Par exemple : un pauvre hère, synonyme d'un homme solitaire et malheureux, abandonné, c'est d'abord un faon mâle de plus de six mois rabroué par sa mère qui ne veut plus qu'il la tête, et n'a pas eu la force ou l'opportunité de se joindre à la harde qui ne l'a pas encore accepté. Un cerf se « méjuge » ou se « déjuge » lorsque sa cadence de déplacement est irrégulière et parfois contradictoire.

Les « allures » du cerf, c'est la façon dont l'animal pose son pied de devant par rapport à celui de derrière. Aujourd'hui on juge de la même façon l'allure d'un mannequin dans un défilé de mode. Par extension, une robe, un tailleur, un chapeau sont allurés. Lorsqu'un cerf dégage son allure par l'avant, il « outrepasse son droit ». Un grand animal forcé « donne le change » en obligeant brutalement un congénère plus jeune ou inexpérimenté à se placer sous le vent des chiens et pouvoir ainsi leur échapper.

Un chien « balance » quand il s'arrête, hésitant entre plusieurs pistes lorsqu'un animal chassé a volontairement traversé une harde ou une compagnie qui a pris la fuite en tous sens, ce chien-là ne deviendra jamais un « limier ». Un chien prend une voie à « contre-pied » s'il la remonte vers son origine, ce qui coupe net la chasse, l'animal ayant tout loisir de s'écarter des chasseurs.

Toujours en latin - difficile de s'en débarrasser lorsque l'on s'amuse à explorer, un peu, le français - *servire* signifie être dévoué ou soumis à quelque chose ou quelqu'un.

En terme de vénerie, servir un grand animal forcé par les chiens c'est le soumettre au chasseur - le vainqueur - en l'achevant au couteau. Au temps de la haute vénerie on n'avait rien d'autre sous la main - la suite n'est que tradition.

A noter que toutes ces expressions étaient depuis long-temps usuelles en 1190, époque où un clerc s'avisa de les transcrire, ce qui tendrait à prouver que dans les halliers et les futaies on parla français plus tôt qu'à la Sorbonne.

Un chien avait (et a toujours) du sentiment lorsqu'il était capable de sentir les émanations d'un animal particulier par-mi d'autres. Les histoires sentimentales ne furent inventées qu'au milieu du 17e siècle ; auparavant le sentiment concer-nait l'odeur de l'élue, de la convoitée et la passion, la souf-france d'en être privé. Passion est toujours synonyme de souffrance en terme de religion.

Shakespeare n'écrivait pas dans un autre sens et l'on est en droit d'affirmer que Roméo souffrait de ne pouvoir respirer davantage (ou de plus près ?) l'odeur *sui generis* de sa chère Juliette. En revanche, beaucoup plus tard, le jeune Werther, qui faisait dans l'abstrait avant tout le monde, ne semblait même pas soupçonner que Charlotte puisse exhaler une quelconque odeur. D'où l'on peut conclure que de nos jours, les véritables amateurs de cuisine qui sentent et flairent plats et casseroles avec tant de juste délectation, sont plus liés à Shakespeare qu'à Goethe.

Il semble bien qu'il y ait là plus matière à se réjouir qu'à pleurer.

Le civet de sanglier

*f*aire une marinade la veille, avec du vin rouge, un peu de vinaigre de vin rouge, thym, laurier, sel, poivre, oignon coupé en lamelles, carotte et persil.

• Mettre dans cette marinade le rognon du sanglier, des côtes avec les os – les os donnent du goût - et des morceaux pris dans l'épaule.

• Laisser mariner au moins 24 heures.

• Le lendemain, sortir les morceaux de la marinade et les éponger. Dans une cocotte, faire fondre et chauffer de la graisse de canard ; faire revenir dans la graisse bien chaude les morceaux de sanglier et le rognon. Inutile de saler et poivrer, la marinade étant assaisonnée.

• Passer au hachoir une belle tranche de jambon de pays, de la ventrèche, un oignon et une belle échalote, une gousse d'ail. Ajouter ce hachis dans la cocotte et laisser mijoter à couvert une dizaine de minutes.

• Chauffer de l'armagnac dans une petite casserole ; quand il bout, le flamber et le verser dans la cocotte.

• Chauffer un bon litre de vin rouge, le flamber et l'ajouter ; le liquide doit couvrir complètement la viande.

• Laisser mijoter à couvert et à petit feu au moins deux heures.

---

rognon, côtes et épaule de sanglier
graisse de canard   jambon de pays
ventrèche   oignon
échalote   ail

POUR LA MARINADE :
vin rouge corsé   vinaigre de vin
thym   laurier
sel   poivre
oignon   carotte
persil

179

• Si vous le pouvez, laissez reposer le civet jusqu'au lendemain ; puis faites-le mijoter à nouveau une heure. il ne sera que meilleur. Vous pouvez aussi le cuire en trois jours : 2 heures le premier jour, une demi-heure le second et autant le troisième jour.

• Si vous ne pouvez étaler la cuisson sur trois jours, il faudra cuire le civet, dès le premier jour, au moins trois heures.

Pâté de foie de sanglier

*L*a veille, peser gorge, foie et cœur du sanglier. Prendre 1/3 de foie, et 2/3 de gorge comprenant un peu de cœur.

• Passer au hachoir.

• Saler et poivrer.

• Ajouter une pincée d'épices et arroser avec un bon verre d'armagnac ; laisser reposer au réfrigérateur vingt-quatre heures.

• Le lendemain, remplir un bocal à conserves avec la préparation ; poser la capsule, visser le couvercle.

• Remplir une marmite d'eau ; y déposer le bocal, qui doit être complètement recouvert par le liquide. L'immobiliser avec un objet lourd et stériliser deux heures.

• Le pâté pourra se conserver plusieurs mois.

foie de sanglier	*cœur de sanglier*
gorge de sanglier	*armagnac*
ail	*les quatre épices*
sel	*poivre*

Côtelettes de sanglier
Saint-Hubert

*d*écouper (où faire découper par le boucher) des côtes de sanglier.

• Dans une poêle, chauffer la graisse de canard et faire dorer les côtes ; saler et poivrer ; dorer sur les deux faces.

• Préparer une farce avec des morceaux de gorge de sanglier, jambon de Bayonne et ventrèche hachés. Ecraser des baies de genièvre et les ajouter à ce hachis ; saler et poivrer.

• Dans une poêle où fume la graisse de canard, faire fondre doucement l'échalote hachée fin, puis ajouter les girolles bien nettoyées et les faire revenir avant de les mélanger à la farce.

• Laver et étaler la crépine de porc. Sortir les côtelettes de la poêle ; elles sont « saisies », mais pas cuites. Les poser chacune sur un morceau de crépine ; les couvrir de farce et les emmailloter, chacune séparément, dans la crépine.

• Déposer ces côtelettes emmaillotées dans un plat creux, farce au-dessus, et cuire à four chaud environ quinze minutes.

• Faire une petite sauce en déglaçant la poêle, où les côtelettes ont doré, avec un petit verre d'armagnac ; chauffer et flamber ; ajouter dans ce fond des baies de genièvre et deux cuillerées de gelée de vin de Médoc (1). Faire fondre la gelée et lier avec un verre de crème liquide (fleurette).

• Servir les côtelettes nappées de cette sauce.

(1) Gelée de groseilles réduite avec un bon Médoc.

côtes et gorge de sanglier	graisse de canard
jambon de Bayonne	ventrèche
crépinette de porc	échalotes
girolles	baies de genièvre
armagnac	gelée de vin de Médoc
crème liquide	sel, poivre

Côtelettes de sanglier sur le gril

*d*époser les côtelettes sur le gril. Saler et poivrer. Poser le gril sur la braise et compter environ dix à quinze minutes de cuisson, en surveillant et retournant les côtes.

• Enfourner dans l'entonnoir d'un « cocuron » chauffé à blanc dans la braise un beau morceau de gras de jambon ; il fond et prend feu : arroser les côtelettes avec ce délicieux gras de jambon qui donnera un parfum bien gascon !

côtes de sanglier	*sel, poivre*
un morceau de gras	*une bonne braise*
de jambon de pays	

Cuissot de sanglier

*l*arder le cuissot. Pour cela, perforer la chair avec la pointe d'un petit couteau de cuisine et glisser dans l'orifice de petits morceaux de jambon de pays, de ventrèche, et des gousses d'ail.

• Saler et poivrer abondamment ; arroser généreusement le cuissot avec de la graisse de canard.

• Cuire à four pas trop chaud environ deux heures, en surveillant et en arrosant souvent. Le temps de cuisson dépend de la grosseur du cuissot.

cuissot de sanglier	*jambon de pays*
ventrèche	*ail*
sel	*poivre*
graisse de canard	

Daube de sanglier
aux pruneaux

*V*ingt-quatre heures avant le repas, préparer une marinade avec thym, laurier, persil, oignon, échalote, ail, clous de girofle, baies de genièvre, un petit navet, carottes, poivre en grains, une pincée de sel et du vin rouge corsé.

• Mettre les morceaux de sanglier à macérer dans cette marinade ; ils doivent être entièrement recouverts par le vin.

• Par ailleurs, mettre les pruneaux dans un bain d'armagnac.

• Le lendemain, retirer les morceaux de sanglier et les égoutter.

• Dans une cocotte, chauffer la graisse de canard et faire revenir la viande à feu vif ; les morceaux doivent prendre couleur sur toutes les faces. Les retirer et les mettre de côté.

• Dans la même cocotte, faire revenir des oignons coupés en lamelles ; les laisser devenir transparents et légèrement dorés. Ajouter des cubes de ventrèche et les laisser fondre. Quand ils auront pris belle couleur, remettre les morceaux de sanglier ; arroser avec le vin de la marinade et autant de bon bouillon très relevé ; couvrir complètement la viande avec le liquide et cuire à petit feu, couvercle presque fermé ; il faut assurer une petite évaporation du liquide.

• Laisser mijoter au moins deux heures et demie.

---

sanglier (morceaux de gorge d'épaule, de gigue)	
armagnac	pruneaux d'Agen
vin rouge de Bordeaux, corsé	thym
laurier	ail
échalote	oignon
carotte	navet
persil	clous de girofle
baies de genièvre	champignons de Paris
graisse de canard	sel, poivre
ventrèche	un bon bouillon

• *Mieux encore :*

– on peut faire mariner la viande quatre jours avant le repas ; cuire une heure le lendemain et laisser reposer en cocotte, au frais ; cuire une heure le surlendemain, et laisser reposer de même ; cuire enfin une demi-heure le jour du repas, la daube n'en sera que meilleure.

• *Avant de servir :*

– faire sauter des champignons de Paris à la poêle, dans la graisse de canard bien chaude et les ajouter dans la cocotte ainsi que les pruneaux d'Agen et leur bain d'armagnac.

• Mijoter à petit feu au moins un quart d'heure.

Palombe farcie au foie gras
à la sauce champenoise

*P*lumer une palombe ; la brûler sur la flamme pour retirer les petites plumes et duvets. La vider en ouvrant par le cou d'abord, puis par l'autre extrémité.

• Couper l'oiseau en quatre.

• Mettre de l'huile dans une poêle ; chauffer ; bien saisir la palombe ; saler et poivrer (une jeune palombe cuit en dix ou vingt minutes).

• Ajouter des échalotes hachées ; flamber avec la fine champagne ; ajouter un verre de champagne ; cuire à petit feu.

• Essuyer quelques champignons de Paris bien frais, les couper et les faire cuire dans une poêle avec de l'huile bien chaude ; on peut ajouter quelques girolles, selon la saison ; saler et poivrer. Le tout dans la cocotte, avec la palombe.

• Couper une belle tranche de pain de campagne ; la faire dorer dans la poêle où les champignons ont rissolé ; dorer des deux côtés et mettre de côté, au chaud. Dans une autre poêle, très chaude, faire dorer des tranches de foie de canard cru, saler et poivrer, retourner, saler et poivrer l'autre face, laisser dorer. Ajouter un rien de sauce de cuisson des palombes

• Disposer les tranches de foie sur le pain grillé, et, par-dessus, les morceaux de palombe. Entourer de champignons et servir aussitôt.

palombe	*champagne*
fine champagne	*échalotes*
champignons de Paris	*cèpes ou girolles*
œufs	*un fois de canard gras, cru*
pain de campagne	

Faisan de la forêt

*P*lumer et vider le faisan ; garder le foie et le gésier.
• Nettoyer de beaux cèpes, sans les laver. Les faire sauter à la poêle dans l'huile bien chaude, coupés en lamelles ; saler et poivrer.

• Faire une farce avec le gésier et le foie du faisan, ventrèche, pain de campagne (croûte et mie) ; ajouter quelques feuilles de persil ciselées et faire revenir avec les cèpes, dans la poêle. Hors du feu, ajouter un œuf entier, pour « tenir » la farce.

• Remplir le faisan avec cette farce et fermer l'orifice avec un croûton de pain.

• Saler et poivrer le faisan généreusement et le mettre à cuire dans la cocotte où chauffe la graisse de canard ; laisser bien dorer sur toutes les faces ; saupoudrer de paprika, arroser avec un grand verre de porto, ajouter des olives dénoyautées et un peu de farce… s'il en reste.

• Couvrir et laisser cuire une heure, à petit feu.

faisan	*cèpes*
persil	*un œuf*
ventrèche	*pain de campagne*
graisse de canard	*olives*
piment de Cayenne	*paprika*
porto	*sel, poivre*

Faisan aux pommes et aux raisins

*P*lumer et vider le faisan ; garder le cœur et le foie. Couper l'oiseau en quatre.

• Dans la cocotte, chauffer la graisse de canard ; saler et poivrer les morceaux de faisan et les mettre à dorer dans la graisse fumante, à découvert.

• Hacher le foie et le cœur, avec une gousse d'ail et quelques feuilles de persil plat ; mettre ce hachis dans un coin de la cocotte et le faire revenir un peu. Ajouter un grand verre d'armagnac ; quand il est chaud, flamber dans la cocotte.

• Laver les pommes, sans les peler, les couper en quatre et les épépiner ; mettre les quartiers dans la cocotte ; ajouter des grains de raisins blancs (pelés et épépinés… si on a la patience de le faire ; sinon on les trouve tout prêts dans le commerce).

• Arroser d'un jus de citron et d'un verre de crème fleurette ; couvrir et laisser mijoter à petit feu : 1 heure et demie à deux heures s'il a « beaucoup couru » et pris de l'âge (si le jus avait trop réduit pendant la cuisson, on peut ajouter un peu de bouillon).

faisan	*graisse de canard*
ail	*persil*
pommes (fruits)	*raisins blancs*
citron	*armagnac*
crème liquide (dite « fleurette »)	*sel, poivre*

Tourte de faisan aux champignons

*d*énoyauter des pruneaux et les mettre à gonfler dans l'armagnac au moins quatre heures, coupés en petits morceaux.

• Découper des filets dans le faisan. Faire chauffer la graisse de canard dans la poêle : quand elle est bien chaude, faire revenir rapidement les filets, saler et poivrer sur les deux faces ; chauffer l'armagnac dans une petite casserole, flamber et verser sur les filets.

• Préparer les champignons :

– les cèpes : on ne les lave jamais. Essuyer avec soin les têtes avec un chiffon fin et propre ; couper les queues terreuses. Laver les champignons de Paris et les girolles avec soin.

• Faire chauffer de la graisse de canard dans une cocotte ; quand elle est bien chaude, faire cuire les cèpes, puis ajouter les girolles et enfin les champignons de Paris qui sont plus vite cuits, saler et poivrer, ajouter un rien d'échalote hachée fin. Quelques instants avant la fin de la cuisson, déposer des feuilles d'épinard bien lavées et équeutées.

• Hacher la ventrèche, mélanger avec les pruneaux, ajouter un petit verre de porto.

• Tapisser une terrine avec de la pâte feuilletée, en laissant déborder la pâte d'environ un demi centimètre tout autour du plat.

faisan	*ventrèche*
graisse de canard	*sel*
poivre	*cèpes*
girolles	*champignons de Paris*
épinards	*échalotes*
pâte feuilletée	*armagnac (ou cognac)*
pruneaux	*raisins*

• Déposer un lit de farce aux pruneaux, recouvrir avec les tranches de faisan, puis une bonne couche de champignons et épinards.

• Passer le pinceau trempé dans de l'eau tout autour de la pâte, sur le rebord ; déposer délicatement un couvercle de pâte feuilletée ; souder en appuyant le couvercle, sans pincer le bord.

• Faire quelques décors avec le dos d'un couteau, à main légère ; dorer avec un jaune d'œuf peu dilué à l'eau.

• Cuire à four chaud environ vingt-cinq minutes.

Cailles en feuilles de vigne

Saler et poivrer les cailles ; replier la tête et les pattes dans une feuille de vigne et ficeler. Enrouler cette paupiette dans une fine tranche de ventrèche. Ficeler.

• Déposer sur le gril et cuire dans la cheminée, sur une braise douce au moins vingt minutes.

• Chauffer à blanc dans la braise le cocuron (ou « capucin »). Quand il est brûlant, glisser dans l'entonnoir un gros morceau de gras de jambon de pays ; au contact du métal incandescent, la graisse fond et prend feu ; promener l'entonnoir sur les paupiettes de caille et les arroser de ce bon jus parfumé.

• Faute de cheminée, on peut cuire les cailles en feuilles de vigne dans le four.

---

cailles   *feuilles de vigne*
ventrèche en tranches très fines   *sel, poivre*

Cailles en gelée
champenoises

*P*réparer la gelée la veille, elle se fait comme un bouillon, avec les ingrédients indiqués ci-dessous. Cuire 6 heures.

• Le lendemain, mettre de l'huile dans une cocotte et faire chauffer ; quand elle fume, y déposer les cailles et les faire dorer sur tous côtés, saler et poivrer. Sortir les cailles dès qu'elles ont pris une jolie couleur.

• Enlever le gras qui est au fond de la cocotte ; puis verser environ un demi-litre de champagne et autant de gelée, que l'on réchauffe pour la liquéfier. Cuire les cailles dans ce liquide envirion vingt minutes.

• Peler et épépiner les raisins ; les mettre à macérer dans de la fine champagne. Les ajouter en fin de cuisson pour moins d'une minute : ils doivent rester croquants.

• Disposer les cailles et les raisins dans un plat creux ; couvrir avec le jus de cuisson ; laisser tiédir ; mettre au réfrigérateur au moins douze heures.

POUR LA GELÉE :

un pied de veau	*jarret de veau*
os de veau	*une couenne de porc*
un morceau de bœuf pris dans le gîte à la noix	
sel	*poivre*
oignon	*clou de girofle*
carottes et navet	*poireaux*
thym	*laurier*
1 caille par personne	*huile*
champagne et fine champagne	*raisins blancs*

190

Feuilletés de cailles en salmis

*L*a veille, faire une marinade avec un litre de vin rouge, carottes et navet coupés en rondelles, oignon émincé, clous de girofle, baies de genièvre, sel, poivre, laurier, thym, un peu de céleri, une gousse d'ail écrasée, un filet de vinaigre et un petit verre d'huile. Laisser mariner au frais vingt-quatre heures.

• Faire un bouillon.

• Préparer une farce avec ventrèche, oignon, échalote, ail, persil, foie et gésier de la poule, hachés. Saler et poivrer. Tremper de la mie de pain rassis dans de l'eau ou du lait, émietter et mélanger à la farce. On peut ajouter un œuf entier.

• Remplir la poule. Coudre avec une grosse aiguille et de la ficelle fine.

• Remplir d'eau une grande marmite, saler, poivrer et chauffer. Quand l'eau bout, y mettre la poule, le jarret de veau et le bœuf ; laisser frissonner une heure, puis ajouter les légumes et cuire encore au moins une heure et demie.

• Dans une sauteuse, chauffer de la graisse de canard. Quand elle est bien chaude, faire dorer les cailles salées et poivrées (plumées et vidées) puis les retirer.

• Dans la même cocotte, verser deux cuillerées à soupe de farine, laisser bouillonner en remuant, puis mouiller avec du bouillon et de la marinade passée au chinois. Laisser bouillir, et réduire. Déposer les cailles dans cette sauce, qui doit être assez claire, et laisser frémir quinze minutes.

• Retirer les cailles et les éponger.

• Etaler de la pâte feuilletée. Découper des carrés assez grands pour enrouler les cailles. Déposer chaque oiseau sur un carré ; replier la pâte et enfermer l'oiseau en laissant sortir la tête. Souder les bords de la pâte avec les dents d'une fourchette.

• Délayer un jaune d'œuf avec un peu d'eau et badigeonner la pâte au pinceau, sur le dessus.

• Cuire à four chaud quinze minutes environ.

• Pendant ce temps, la sauce restée dans la cocotte a réduit tout doucement…

• Ajouter des cèpes et cuire quinze minutes.

• Au moment de servir, lier la sauce avec une cuillerée de crème fraîche et napper une assiette bien chaude ; déposer la caille dans son feuilleté et servir aussitôt, brûlant.

POUR LE BOUILLON :

une poule	*jarret de veau*
jarret de bœuf	*ventrèche*
(ou morceau à bouillir)	
carottes	*navet*
céleri	*un oignon*
poireaux	*un demi-chou*
thym	*ail*
échalote	*clou de girofle*
sel	*poivre*
mie de pain	*lait (ou eau)*
le foie et le gésier de la poule	*1 œuf*

POUR LA MARINADE :

1 litre de vin rouge	*carottes*
navets	*céleri*
oignon	*persil*
thym	*laurier*
clous de girofle	*baies de genièvre*
1 gousse d'ail	*vinaigre de vin*
huile	*gros sel*
poivre	

POUR LA RECETTE :

1 caille par personne	*la marinade*
du bouillon de poule	*farine*
graisse de canard	*sel*
poivre	*pâte feuilletée*
crème fraîche	*cèpes*
1 œuf	

Les cailles paysannes

Chauffer de la graisse de canard dans une poêle. Vérifier que la caille est bien vidée. Enfourner un bon morceau de jambon de campagne dans la caille, saler et poivrer dedans et autour. Mettre la caille dans la poêle, laisser dorer avant de couvrir ; baisser le feu.

• Hacher jambon de pays, ventrèche, oignon, échalote et ail ; ajouter ce hachis dans la poêle ; couvrir et continuer la cuisson, doucement, en remuant. Ajouter des cèpes et arroser avec un grand verre de porto. Laisser cuire à découvert une dizaine de minutes.

cailles	*graisse de canard*
jambon de pays	*ventrèche*
oignon, ail, échalote	*cèpes*
porto	*sel, poivre*

Cailles aux raisins et au sauternes

Peler et épépiner les gros raisins blancs et les faire tremper dans un bol d'armagnac, au moins une heure.
• Vérifier que la caille est bien vidée. La remplir avec deux grains de raisin, un joli morceau de foie de canard salé et poivré généreusement, et encore deux grains de raisin.
• Dans une cocotte, chauffer de la graisse de canard. Faire dorer les cailles et les laisser cuire, en baissant le feu, environ quinze minutes. Ajouter les raisins et leur bain d'armagnac, deux verres de sauternes, chauffé et flambé. Laisser mijoter deux ou trois minutes ; les raisins sont très vite « à point ».

cailles, armagnac	*gros raisins blancs*
sauternes, graisse de canard	*foie frais de canard gras*

Perdreaux rôtis
à l'entre-deux-mers,
aux cèpes et
aux feuilles de vigne

*C*hauffer de l'huile dans la poêle ; couper des oignons en lamelles et les laisser fondre un peu avant d'ajouter des petits cubes de ventrèche.

• Nettoyer des cèpes avec un chiffon bien propre, sans les laver. Couper en morceaux les champignons et les ajouter dans la poêle. Saler et poivrer généreusement. Surveiller la cuisson.

• Chauffer de l'eau dans une casserole et faire blanchir les feuilles de vigne. Les sortir et les rafraîchir ; les étaler bien à plat sur un torchon.

• Couper les perdreaux en deux dans la longueur et les mettre à cuire à découvert, dans une cocotte où grésille la graisse de canard. Saler et poivrer. Bien dorer sur toutes les faces. Sortir les perdreaux quand ils ont pris belle couleur ; ils ne sont pas cuits ; les garder au chaud.

• Déglacer la cocotte avec un demi-litre de vin blanc et autant de bon bouillon ; laisser réduire de moitié. Ajouter alors un grand verre de crème fleurette et mettre dans cette sauce les perdreaux, qui vont mijoter à petit feu cinq à dix minutes.

• Etaler sur chaque feuille de vigne une belle cuillerée de cèpes, emmailloter et ficeler comme une paupiette ; déposer dans la cocotte et laisser mijoter pas plus de cinq minutes.

• Présenter les perdreaux entourés de paupiettes sur un plat et arroser avec la sauce.

---

perdreaux	*feuilles de vigne*
cèpes	*oignon*
ventrèche	*vin blanc d'Entre-deux-Mers*
Un bon bouillon	*huile*
graisse de canard	*crème fleurette*
sel	*poivre*

Perdreau aux girolles

*d*ans une poêle, faire chauffer la graisse de canard.
• Nettoyer avec soin les girolles et les faire revenir
dans la graisse chaude. Saler et poivrer.

• Plumer et vider le perdreau, garder le foie et le cœur.

• Préparer un hachis avec la ventrèche, le cœur et le foie
du perdreau, une échalote et un peu de persil, l'ajouter dans
la poêle, avec les girolles et laisser cuire une dizaine de
minutes.

• Saler et poivrer le perdreau, à l'intérieur et à l'extérieur ;
le farcir avec le contenu de la poêle et le déposer dans un
plat allant au four ; arroser d'un peu de graisse de canard et
cuire à four chaud environ trente-cinq minutes, en
surveillant.

perdreau	*girolles*
ventrèche	*graisse de canard*
échalote	*persil*
sel	*poivre*

Perdreau au chou
à la manière de Rion

*b*lanchir le chou, coupé en quatre, dans une casserole d'eau bouillante salée.

• Dans une poêle, chauffer de la graisse de canard et faire revenir des oignons coupés en morceaux. Quand ils sont transparents, ajouter des tranches de ventrèche, avec la couenne.

• Dans une cocotte, mettre un bon bouillon bien relevé, fait avec des os et viandes de bœuf, veau et porc, les légumes traditionnels. Ajouter le chou, des carottes et un navet, un bouquet garni, puis ajouter dans la cocotte le contenu de la poêle, oignons et cèpes ; laisser mijoter sans couvrir.

• Couper les perdreaux en deux dans la longueur et les faire dorer dans la poêle, où chauffe la graisse de canard ; saler et poivrer, flamber avec un petit verre d'armagnac et verser dans la cocotte. Ajouter enfin un beau morceau de boudin noir.

• Couvrir et laisser cuire à petit feu une bonne heure.

perdreau	*boudin noir*
chou	*oignons*
ventrèche	*graisse de canard*
armagnac	*un bon bouillon*
sel	*poivre*

Bécasse en salmis au champagne

l'oiseau n'est pas vidé. Saler et poivrer de tous côtés, puis enrouler l'oiseau dans une barde de lard.

• Chauffer du beurre dans une cocotte ; quand il est chaud, déposer la bécasse ; couvrir et laisser cuire quelques minutes.

• Arroser de champagne, couvrir et laisser frissonner une vingtaine de minutes.

• Sortir la bécasse et la garder au chaud.

• Découper de belles escalopes de foie gras et les faire dorer sur une face ; saler et poivrer ; retourner les tranches et dorer l'autre face, saler et poivrer à nouveau. Arroser avec le jus de cuisson de la bécasse.

• Enlever la barde qui entoure la bécasse ; retirer avec soin les tripes et les déposer sur la tranche de foie gras en les écrasant un peu à la fourchette.

• Disposer dans le plat la bécasse, la tranche de foie gras, arroser avec le jus et servir brûlant.

---

1 bécasse pour deux   *une barde de lard*
beurre   *champagne*
foie de canard gras, cru   *sel, poivre*

Bécasse au champagne

*d*écouper la bécasse avec soin, sans la vider. Mettre de côté les ailes et les cuisses.

• Vider les intestins et les garder, ainsi que la carcasse.

• Chauffer de l'huile dans une sauteuse. Faire revenir, à feu moyen, les ailes et les cuisses ; saler et poivrer ; dorer sur toutes les faces. Ajouter la carcasse, et en dernier les intestins. Laisser cuire cinq à dix minutes.

• Chauffer l'armagnac et flamber. Sortir ensuite les cuisses et les ailes et les garder au chaud.

• Déglacer la sauteuse avec du champagne et laisser réduire, avec la carcasse et les intestins. Passer au tamis en écrasant bien au pilon.

• Servir les ailes et les cuisses bien chaudes, arrosées avec la sauce.

1 bécasse pour deux	*huile*
sel	*poivre*
armagnac	*champagne*
(ou fine champagne)	

LE CASSE-CROÛTE
DES MOUSQUETAIRES

Certains de ces plats se dégustent également chauds, mais, dans leurs versions froides, ils sont parés de toutes les saveurs raffinées de la convivialité des piques-niques, des en-cas, des parties de pêche ou de chasse (à la palombe bien entendu).

• En résumé ont peut affirmer que ce sont des plats fins et froids rayonnant de la chaleur de l'amitié.

Canard à la royale

Cailles en gelée

Epaule d'agneau farcie

Filets de maquereaux au cidre

Cous farcis

Oreilles de porc farcies

Pâté de foie de sanglier

Terrine de foie gras à l'Armagnac

Terrine de foie gras au Champagne

Terrine de foie gras au poivre vert

Oreille de porc farcie

*d*ans une grande marmite, mettre plein d'eau chaude ;
ajouter sel et poivre, un oignon piqué de clous de
girofle, les deux oreilles du cochon bien propres et bien
nettoyées, un chou, carottes coupées en rondelles et
pommes de terre. Faire bouillir et mijoter à petit bouillon
environ deux heures. Retirer les oreilles et les laisser tiédir.

• Couper une belle tranche de jambon de Bayonne ;
enlever la couenne que l'on met dans le pot à soupe ; hacher
le jambon ainsi que la ventrèche, oignon et ail, deux
échalotes et un peu de persil.

• Couper une tranche de pain de campagne et la tremper
dans du lait ; l'égoutter puis la passer au hachoir.

• Faire revenir tout ce hachis dans une poêle avec un peu
d'huile bien chaude ; chauffer un peu d'armagnac dans une
petite casserole ; quand il bout, le flamber et le verser dans la
poêle ; bien mélanger et laisser mijoter.

• Remplir l'oreille avec cette farce, la coudre, ou l'enrouler
comme une paupiette dans deux feuilles de chou. Ficeler et
passer au four une quinzaine de minutes.

• On peut commencer le repas par la soupe, servie avec
tous les légumes, et continuer avec les oreilles farcies.

deux oreilles de cochon	*chou*
jambon de Bayonne	*ventrèche*
pommes de terre	*carottes*
poireaux	*oignon*
clous de girofle	*sel, poivre*
pain	*huile*
œufs	*armagnac*

Salade de pied de porc

Cuire le pied dans un bon bouillon pendant deux heures ;
le retirer et le décortiquer et retirer toute la chair, que
l'on coupe en petits morceaux.

• Faire fondre de la graisse de canard dans une poêle et
revenir les morceaux de pied.

• Préparer un joli décor de salade sur une assiette ;
intercaler des tomates coupées en cubes. Mettre le pied de
porc au milieu.

• Arroser avec une bonne vinaigrette faite avec huile,
vinaigre, sel et poivre, un peu d'échalote hachée très fin.

• Parsemer de ciboulette en petits bâtonnets.

un bon bouillon	*graisse de canard*
salades diverses	*tomates*
huile	*vinaigre*
échalote	*ciboulette*

DESSERTS

Fraises et poires au vin

Peler les poires sans enlever la queue, et en les laissant entières.

• Mettre dans une casserole un litre de bon vin rouge, trois cuillerées à soupe de sucre et de la cannelle. Faire bouillir.

• Déposer les poires dans le liquide et les laisser pocher *sans bouillir* dix à vingt minutes ; le temps de cuisson dépend de la variété et de la qualité de la poire.

• Laisser refroidir dans le vin.

• Les fraises ne doivent pas cuire. Les laver avec leur queue ; les égoutter. Enlever la queue et déposer les fraises dans un saladier. Les arroser avec le vin parfumé encore tiède et laisser reposer plusieurs heures avant de servir.

poires   fraises
vin rouge de Médoc ou de Saint-Emilion
sucre en poudre   cannelle

CÉLÉBRATION
DE L'ARMAGNAC

C e sont les Cadets de Gascogne
De Carbon de Casteljaloux :
Bretteurs et menteurs sans vergogne…
Oeil d'aigle, jambe de cigogne,
Moustache de chat, dents de loup,
Fendant la canaille qui grogne…
Perce-bedaine et casse-trogne,
Dans tous les endroits où l'on cogne,
Ils se donnent des rendez-vous…
Voici les Cadets de Gascogne
Qui font cocus tous les jaloux!

Avec panache, Cyrano lance sa tirade et les mots chantent à mon oreille en réveillant cette fierté inhérente à chaque Gascon. Le sang frissonne dans les veines! Le même élan joyeux vous transporte quand on arpente les chais où l'alambic est en pleine effervescence : liquides et vapeurs y échangent leurs précieuses essences en cheminant à travers maints conduits admirablement façonnés par l'homme…

Si vous sillonnez la région de l'Armagnac, d'Arthez dans les Landes à Aignan dans le Gers, et descendez la Baïse de Condom vers le Lot-et-Garonne, vous serez étonnés de ces senteurs particulières qui émanent de lieux protégés où officient avec "flamme et patience" les bouilleurs, savants intermédiaires entre le vin et l'eau-de-vie. Dans l'attente de ces transmutations, tous les sens sont en éveil, les rougeoiements du cuivre, couleurs automnales perpétuant les ors d'octobre, la chaleur de la flambée du foyer nuançant ces reflets à chaque enfournement de bûches, les bouillonnements des chaudières recréant l'atmosphère des ateliers des premiers alchimistes. Les odeurs émoustillent les narines et le jet de l'eau-de-vie qui jaillit de la machine, fruité ou fleuri selon le cépage choisi, ravit le palais. Sans perdre sa machine ni de l'oeil ni de l'oreille, l'officiant propose un verre et guette votre réaction. Cette eau-de-vie blanche a su déjà conquérir des galons : au Domaine de Lagajan à Eauze, elle

porte le joli nom de "Muse" et se targue d'être bue glacée en apéritif ou en accompagnement de saumon de l'Adour.

Histoires d'eau... Les pièces d'Armagnac (futaille de 400 litres) descendaient le courant tumultueux puis assagi de l'Adour ou de la Baïse, ralliaient les ports de l'Atlantique d'où elles s'embarquaient pour de longs voyages, propices au vieillissement sous bois... longs voyages qui aboutirent quelquefois à de piètres tractations entre négriers et qui nous valurent, dit-on, le phylloxera en juste retour des choses!

Vignes d'Armagnac, rugueuses et feuillues toujours sous la garde des fantômes de la guerre de Cent ans.

Autre illustration de l'excès gascon : le gigantisme de l'alambic de la maison Jeanneau et la modestie de l'appareil ambulant que l'on roule de fermes en châteaux. Mais qu'importe la taille des ateliers et des instruments, tout se joue entre l'homme et la machine. Les distillateurs entretiennent des rapports presque amoureux avec cet animal complexe, labyrinthe de cucurbites et serpentins en cuivre, « pélican » symbolique des alchimistes ; certains ne souffrent pas qu'une main étrangère puisse rompre l'harmonie établie après de longs tâtonnements, de minutieuses concessions : réglage du débit d'arrivée du vin, contrôle des niveaux dans les chaudières, surveillance des flammes du foyer. Nuit et jour l'homme surveille, écoute, hume, goûte, tâte les compartiments pour vérifier le bon équilibre des chaleurs ; comment voulez-vous que tant de promiscuité ne crée pas des liens privilégiés?

Il coule, il coule l'armagnac limpide comme une source…

Tout, dans l'élaboration de l'armagnac, est histoire d'amour : amour du vigneron qui, au fil des mois, conduit avec sagacité les ceps à produire de beaux raisins en priant les cieux d'écarter de ses sillons les gelées tardives et les orages de grêle dont les carillons du tonnerre (*1) ne sont pas venus à bout. Amour, quand tard le soir, alors que les grappes ont été pressées et que les machines ne requièrent plus l'assistance de l'homme, le vigneron reste encore dans la cave, fidèlc rccucilli, tout simplement pour être présent à des transformations qui le dépassent, magie des liquides qui sourdent, jaillissent, bouillonnent... Amour du chêne pour la vigne, qui, sur les coteaux, grandit à ses côtés, irrésistible-ment attirés l'un par l'autre, le chêne offrant ses veines, la vigne son sang. Les hommes œuvreront pour leur union ; dans le vacarme de leurs ateliers, les tonneliers assembleront les douelles ; au milieu des effluves, les distilla-teurs assisteront le moment solen-nel où l'eau-de-vie cristalline se love dans le fût.

... avant que le châtaignier des barriques lui confère une saveur unique.

Dans le silence des chais, le fruit de la vigne et le bois du chêne enfin réunis, s'abandonneront à leur amour et à la magie du temps... Ne croyez tout de même pas que ces deux comparses n'en feront qu'à leur tête! Le maître de chai veille, transvase, ouille (*2) pour compléter la "part des anges", aère, brasse au moment opportun. Les incondi-tionnels des millésimes attendront dix ans avant la mise en bouteille pour déguster un élixir pur, d'autres auront des secrets de coupe et d'assemblage pour composer des poèmes étonnants.

Pruneau, coing, noisette, vanille, violette, tilleul, cannelle, épices, la diversité en Armagnac est souveraine : des terroirs différents... des cépages différents... des méthodes de conduite de vignoble différentes... des alambics différents... tant de facteurs influent sur les arômes, créant ainsi un conservatoire insoupçonné... Eh quoi! on dit les Gascons chauvins? Parbleu ici les sangs se mélangent et on vit heu-reux! Ah! le plaisir d'être ensemble près d'une bonne flam-bée ou tout simplement sous une treille, en tout cas en bonne compagnie pour s'initier à décrypter tant de subtiles différences, reconnaître la marque des fameux sables fauves laissés par des mers souveraines au tertiaire ou la trace de la folle blanche, cépage du raffinement ou encore du baco, ce cépage qui sauva la viticulture du désastre consécutif à l'inva-sion du phylloxéra. Ce gentil instituteur des Landes, père du Baco qui porte son nom, passionné de graines et d'expé-riences créait des hybrides de cépages américains et euro-péens ; il ne se doutait pas qu'il serait la cause aujourd'hui de tant de débats! Signe d'ouverture à l'alliance des deux continents, il maria curieusement le noah d'Amérique au picquepoult de Gascogne. Impossible d'être sectaires! Laissons-nous porter par ces senteurs incomparables nées des épousailles du chêne et de la vigne, tous deux nourris par une terre prédestinée, lieu privilégié où chacun participe à sa manière, la vigne, le chêne mais aussi l'acacia pour soutenir les ceps, les saules nostalgiques au bord de nos rivières et étangs pour sculpter les baquets des vendangeurs, les châtaigniers pour habiller les tonneaux de cercles, véritable écosystème pour veiller à toutes les étapes de l'élaboration d'une eau-de-vie qui fait des centenaires et stimule créativité et imagination chez les Gascons. En témoignent très sérieusement les écrits de Vital Dufour (1260-1327) sur lesquels s'est penché avec bonheur l'Abbé Loubès. Outre des œuvres scolastiques et théologiques, l'abondante production littéraire de ce prieur d'Eauze comporte un ouvrage de médecine intitulé "de Maître Vital Dufour… livre très utile pour

conserver la santé et rester en forme". Un long paragraphe expose les 40 vertus de l'eau-de-vie.

« Si on y met des herbes, elle en extrait les vertus… elle fait disparaître la rougeur et la chaleur des yeux, elle arrête les larmes de couler, elle guérit les hépatites si on en boit avec sobriété, elle guérit la goutte, les chancres, les fistules si on en boit, les blessures par application. L'onction fréquente d'un membre paralysé le rend à son état normal. Elle aiguise l'esprit si on en prend avec modération, rappelle à la mémoire le passé, rend l'homme joyeux au-dessus de tout… Elle fait disparaître la douleur des oreilles et la surdité, elle fait disparaître les calculs de la vessie ou des reins… Si on oint la tête, elle supprime les maux de tête, surtout ceux provenant du rhume. Et si on la retient dans la bouche, elle délie la langue, donne de l'audace, si quelqu'un de timide en boit de temps en temps… »

Quelle belle image que ce cardinal né en Gascogne, ayant reçu en « commende » de nombreux monastères dont ceux d'Eauze et de Saint-Mont (deux villes devenues capitales l'une de l'Armagnac, l'autre des vins du même nom) approchant l'extraordinaire mouvement d'El Andalous où se confrontèrent et s'enrichirent mutuellement trois cultures différentes, chrétienne, islamique et juive… L'Armagnac né de la rencontre heureuse de plusieurs civilisations, est protégé dans un territoire en forme de feuille de vigne, inconsciemment dessiné par des hommes ou plus assurément par une divinité. Notre monde régi aujourd'hui par la vitesse et la rentabilité, célèbrera-t-il le crépuscule des dieux? Les difficultés grandissantes des viticulteurs, contraints pour des besoins en liquidités à rogner sur leur patrimoine boisé, à vendre leur vin pour l'élaboration de vins blancs au lieu de les orienter vers la distillation, à arracher les plants de baco pour s'accorder aux nouvelles législations, conduisent inéluctablement à une réduction de la zone qui pourrait revendiquer l'appellation (*3). Qui se lèvera pour restaurer dans leur splendeur ces chênaies abandonnées, ces vignobles rétrécis pour que longtemps encore l'homme puisse s'inspirer d'arômes essentiels, s'abreuver d'eaux-de-vie authentiques ?

Ces valeureux chevaliers dignes des compagnons de Jeanne, seigneurs de Termes d'Armagnac, ou plus tardivement des célèbres Mousquetaires, vous les rencontrerez lors du chapitre annuel sous le cloître de Condom. Ce jour-là, trêve de bagarre chez les Gascons, tous s'unissent pour défendre leur enfant et le faire connaître de  par le monde. Et rituellement, le jour de la Saint-Vincent fêté chaque année à Cravencères, petit village du Bas-Armagnac, ils se recueillent dans l'église devant leur saint drapé de pourpre en son vitrail. Heureuse célébration en cette année où l'on a fêté le centenaire de l'illustre millésime 1893 et les dix ans de la Charte d'union de l'Armagnac et du Roquefort, alliance gastronomique de deux régions aux terroirs prédestinés (grottes naturelles devenues caves à fromage pour l'un, sables fauves et boulbènes nourriciers généreux de ceps de vigne pour l'autre) sans évocation de leurs liens historiques (Comté de Rodez et Comté d'Armagnac). Les Dames du Floc (unique confrérie féminine en France) animent ce jour-là la dégustation de leur apéritif résultant du « mariage subtil de la fraîcheur du jus de raisin et de la vigueur des meilleurs armagnacs. »

INITIATION A L'ENCHANTEMENT...

L'armagnac vous sera servi dans un verre ballon transparent. Admirez d'abord sa couleur, du jaune d'or à l'ambré, et sa limpidité. Alors respirez le premier nez pour apprécier les arômes dominants puis faites tourner le liquide dans le verre, laissez-vous porter par ces larmes qui glissent le long des parois, enfin chauffez le verre et si vous êtes vraiment à l'écoute de cette Eau de Vie, vous entendrez les rires des muses qui dansent dans les sillons et sous les feuilles des chênes centenaires, les vivats des hommes dans les arènes face aux coursières fougueuses, les chants après les ripailles des vendanges ou les bonnes histoires des chasseurs ragaillardis par la chaleur de l'alambic, en fait, toute la Gascogne qui chante dans le verre...

Dix cépages donnent droit à l'élaboration d'eau-de-vie en Armagnac, mais on en rencontre principalement quatre : la folle blanche (200 ha), le baco (3000 ha), le colombard (3500 ha), et l'ugni blanc (7000 ha). La modification du décret d'appellation d'octobre 1992 va faire évoluer cet encépagement puisque le baco devra disparaître en l'an 2010. Des expérimentations sont en cours au château de Mons près de Condom pour étudier les vieux cépages traditionnels, expliquer leur abandon et peut-être les réhabiliter aux yeux des viticulteurs.

1* Les carillons du tonnerre : au 18ᵉ siècle, à l'approche des orages, on sonnait les cloches à toutes volées pour dissuader Jupiter.

2* Ouiller : remplir le fût à mesure que le niveau baisse.

3* La création effective d'un organisme de soutien au stockage et au vieillissement des eaux-de-vie par le Bureau National Interprofessionnel de l'Armagnac va sans doute être un ballon d'oxygène pour de nombreux producteurs.

L e hasard et la nécessité », ce titre d'un ouvrage fondamental pourrait figurer en Prélude à une belle Aventure : celle de « La cuisine des Mousquetaires ». Le hasard d'une journée d'hiver, soulevée par la tempête atlantique, est à l'origine de la découverte insolite, dans un bureau de tabac expirant des environs d'Arcachon, du « Grand Dictionnaire de Cuisine » d'Alexandre Dumas, son dernier ouvrage, noyé dans les piles de livres soldés. L'acquisition immédiate, la lecture, puis la recherche des circonstances qui firent du père des « Trois Mousquetaires » l'auteur de ce truculent volume, furent mon succulent régal d'un Noël familial. C'était en 1982.

La nécessité... celle d'institutions télévisuelles de service public, quand les flux mouvants de l'histoire basculent vers un retour aux particularismes ethniques. Bretons, Occitans, Basques, Corses et Gascons vont parler leur propre langue.

« Hasard et nécessité » dans la proposition d'un titre et d'une émission, désormais d'actualité, proposée à Thérèse Lizée, alors responsable des programmes de FR3 Aquitaine, « La cuisine des Mousquetaires » est née, et reçoit la bénédiction des autorités parisiennes.

Le hasard n'est pas à l'origine du choix de Patrice Bellot, auquel sera confié la réalisation de l'émission. Des années de travail en commun avec Patrice, se soldent par la confiance et l'amitié, sans lesquelles toute production est vouée à l'échec. L'estime que Thérèse Lizée éprouve pour le talent et la personnalité de Patrice Bellot entérine ce choix.

Le principe d'une émission culinaire régionale, ancrée sur les traditions gasconnes, faisant appel à un cuisinier du terroir, non professionnel et, de ce fait, proche du citoyen moyen, amateur du « bien manger », est adopté en commun accord.

Le hasard - encore lui - est à l'origine de la rencontre de Patrice et Maïté, à l'issue d'un match de rugby. Maïté... employée à la SNCF, « cheminote » rurale, personnage exceptionnel dont le destin surgi d'un banquet de victoire villageoise, fera une « star » de télévision : c'était en 1983.

Dix ans ont passé... à l'instant où s'écrit ce bref résumé, notre « Cuisine des Mousquetaires » tourne haut dans le ciel, confiée au satellite. Nos visages volent du Canada à la Russie, de Tahiti en Suède, des Caraïbes en Allemagne, de Suisse en Espagne... Un courrier considérable nous apporte le reflet d'un succès international que nous n'avions pas imaginé.

Sans racines communes, les « trois mousquetaires », Maïté, Patrice et Micheline, n'auraient pu vivre cette belle aventure.

Maïté, cousine du Petit Poucet, arpente en sabots la forêt landaise avec six petits frères et sœurs. « Ils étaient sept »... C'est le début d'un conte...

Dès l'enfance, elle connaît les saveurs du terroir, les petits oiseaux que les frères attrappent dans les champs, le canard « de A à Z », tué, plumé, vidé, mangé jusqu'à la carcasse dénudée, baptisée « demoiselle » dans le village landais, le cochon et le lièvre, le sanglier...

Patrice est né sur le carreau des Capucins, les halles de Bordeaux. Les produits n'ont pas de secret pour lui, ceux des matins d'hiver, quand le braséro incandescent réchauffe les mains glacées, avant de croquer la cruchade, pour combler les attentes d'un appétit d'enfant ; les secrets de la mer, dont il connaîtra les richesses, les joies, l'excitation provoquée par la vision de la belle sole du Bassin ou du homard, de la raie puissante espérée au bout du harpon ; Patrice, qui, tout jeune, et avec les conseils de sa merveilleuse maman, saura cuisiner le produit de sa pêche.

Mes sources gastronomiques sont différentes, mais non moins succulentes. Un heureux destin m'a fait naître au temps des « cuisinières de bonne maison ». Dignes d'un Bocuse, elles pratiquaient l'art de la cuisine par filiation, toujours attentives à « faire mieux », toujours curieuses d'apprendre. D'Alsace et de Franche-Comté, leur terroir, elles savaient les fonds de sauce qui mijotent dès le matin dans la petite cassolette de cuivre au coin du vaste fourneau à bois, les gibiers goûteux, le bœuf mode couleur d'encre, parfums qui enchantaient les petits déjeuners d'enfants dans le voisinage d'un lait matinal devenu bien fade en telle compagnie olfactive.

Léonie, Sarah, Augusta m'ont communiqué le bonheur des pâtes feuilletées aériennes, la substance onctueuse d'une sauce parfaite, les secrets d'une simple purée de pommes de terre légère et mousseuse, l'épinard d'un vert tendre où le pinceau de Raoul Dufy semble puiser ses couleurs, le haricot raclé au couteau-économe pour en éliminer le moindre fil, le pudding au caramel… souvenirs d'enfance que le temps n'a pas effacés. Souvenirs d'adolescence quand la rencontre d'Edouard de Pomiane, au hasard – encore lui ! – des premiers mois de guerre fit de lui, à l'automne 1939, un voisin, dans un village des bords de Seine dont Claude Monet fit un moment son port et son inspirateur : Vetheuil.

Edouard de Pomiane, aristocrate polonais couronné d'une superbe crinière blanche, notre père en médiatique culinaire. Créateur et animateur des premières émissions de gastronomie à Radio-Paris avant la guerre déjà. Du « poste » grillagé de bois, sortaient, chauffées d'une voix généreuse, « la cuisine en dix minutes », « le code de la bonne chère », des centaines de recettes ; avant-garde prospective d'une cuisine « simple et bonne », celle que toutes les femmes devraient savoir faire chez elles.

Nos racines, semblables et diverses, complémentaires, ont nourri l'émission télévisée.

Notre reconnaissance s'adresse et sera fidèle pour Thérèze Lizée qui, la première, nous a fait confiance et a parrainé l'émission à FR3 Aquitaine, la chaîne régionale, qui nous a ouvert son antenne, à la chaîne nationale qui, par une audience élargie, nous a apporté une consécration et a fait de notre initiative un « best-seller » ; à la presse et aux médias de la parole et de l'image qui nous ont comblés de bienveillants et multiples hommages ; au réseau international TV5 qui, par un vol quotidien dans l'espace, nous offre les échos d'une audience mondiale.

Enfin et surtout, les « Trois Mousquetaires » de la cuisine ne seraient rien sans l'équipe de France 3 Aquitaine qui, avec nous, fidèle dès le premier jour, nous accompagne depuis dix années, en plus de deux cents émissions. Notre reconnaissance, notre amitié pour chacun, et pour tous, est indéfectible.

MAÏTÉ

Née d'un pays d'arbres et n'ayant vu que des arbres aussi loin que puissent la porter ses jambes d'enfant, puis ses grandes pattes d'adolescente maigre et pauvre, il n'y a rien de surprenant à ce que la vision du monde de Maïté fut à la fois immense du point de vue de la connaissance, mieux, de sa familiarité avec la nature et singulièrement étroite quand au savoir prodigué dans les écoles de la république.

Elle y fut le cancre exemplaire (il n'y a pas de féminin à ce terme-ci), la nullité de sa petite école de Rion au point d'en émouvoir son père pourtant peu porté vers les succès académiques.

Grandie trop vite, à douze ans elle avait presque sa taille adulte, on craignait pour sa santé et autour d'elle, parents, grands-parents et six frères et sœurs fermaient les yeux sur les petits mensonges qui lui permettaient de couper à l'école pour faire de la chaise longue, seule panacée connue des femmes de la famille.

Contrairement à ce que pensaient peut-être ses proches, elle n'y paressait pas seulement, mais avec l'imprévisible logique des enfants, se constituait un album d'images indélébiles qui le jour venu lui tiendrait lieu de culture. Fille des arbres, c'est avec leur rythme sûr qu'elle accumula tous ces clichés d'une surprenante concision.

Les souvenirs qui, pour la plupart d'entre nous ont tendance à s'estomper ont toujours pour Maïté la fraîcheur d'évènements advenus la veille.

En revanche sa vieille aversion de l'école était telle qu'aujourd'hui encore elle ne se souvient pas d'être allée à la

223

« grande école » celle où l'on passait le certificat d'études ; diplôme qu'elle n'a jamais eu pour la raison qu'elle ne l'a jamais passé. Etait-ce bien de sa faute si elle ne pouvait concilier son sens inné de la contemplation avec l'activité scolaire trop bien réglementée pour sa puissante nature en gestation?

En attendant, elle savait comme personne trouver le cèpe ou la girolle et savait tout sur les fleurs et les oiseaux si nombreux au cœur écarté de la grande forêt, près des sources discrètes.

Et donc sa vie coulait là, simple mais de moins en moins tranquille : « Maïté, il faut travailler. »

Pour une grande sauvageonne rieuse c'est plus facile à prétendre qu'à réaliser.

Par l'intermédiaire de lointains cousins elle fut « placée » à Paris. On ne disait plus domestique, ni bonne à tout faire mais « bonne », seulement, pas encore « gens de maison », tout vocabulaire-gargarisme désignant une même subordination sans davantage de chance d'y apprendre autre chose que les soins les plus ordinaires d'une maison, ce qu'elle connaissait déjà par cœur. Que la forêt était donc loin, pour y galoper, s'y consoler.

Souvenir pénible d'un de ces moments gris-sombre de l'adolescence qui nourrissent l'expérience de ceux qui ne les ont pas vécus. Bref, le retour à Rion fut loin de ressembler à celui de l'enfant prodigue. Maïté se retrouva dans une fabrique d'espadrilles! Quitter la poussière d'appartement parisien pour la poussière – et quelle ! – de la ficelle comme sourire à la vie qui s'ouvre, il était possible d'imaginer mieux. Maïté fit connaissance de Pierrot, se maria et lui donna un fils. Réponse au destin qui en vaut bien une autre.

Tout cela se passait dans la gaîté bien sûr mais aussi dans le dénuement voisin de la pauvreté. Une occasion se présenta : Maïté s'engagea sous la bannière de la S.N.C.F. Tout le monde connaît à peu près cette facette de notre landaise.

Equipée d'une trompette, gilet blanc et baudrier jaune vif, Maïté annonçait à pleins poumons – qu'elle avait vastes – aux balastiers, le passage de modestes trains assez folkloriques sur la ligne Morcenx-Mont de Marsan. Il en allait autrement sur le fameux tronçon Ychoux-Rion où depuis longtemps, hors les convois ordinaires, les ingénieurs de la S.N.C.F. procédaient à la mise au point de leurs bolides, champions du monde de vitesse. Au temps de la Maïté claironnante c'était la fameuse B.B. révolution du chemin de fer qui passait en tempête avec des pointes d'à peu près trois cents kilomètres à l'heure.

Aujourd'hui, si les balastiers continuent hiver comme été à caler une à une les traverses au dixième de millimètre avec les petits cailloux du balast, travail de fourmi sans lequel aucun TGV ne pourrait foncer sans dérailler, les annonciateurs (ou trices) ont des talkies walkies et des trompes à air comprimé. Au temps de Maïté, on savait à peu de chose près l'heure de passage des trains tranquilles comme des bolides. Pour avoir une certitude, l'annonciatrice remontait un peu vers le convoi et... s'asseyait sur un rail. La meilleure façon, paraît-il, de sentir les vibrations du convoi en marche. Au coup de trompe qui suivait, les balastiers s'écartaient au plus vite. C'est pourquoi les voyageurs les ont toujours vus les mains dans les poches ou appuyés sur le manche de leurs pelles, ce qui laisse place à certaines interprétations persistantes et erronées sur leur ardeur à l'ouvrage.

Annonciatrice, c'est hiérarchiquement un petit travail et donc aussi peu payé que possible. Pourtant il existe des situations où ce peu-là signifie beaucoup. Un mieux, donc, et dans la forêt vitale, presque le bonheur.

Alors, le bois mort ne manquant pas, entre deux coups de trompette, Maïté commença par réchauffer les gamelles de ses compagnons puis mitonna quelque lièvre ou lapin « trouvé » au hasard des talus redevenus sauvages. Jamais tronçons de balasts ne sentirent aussi bon qu'en ces petits moments de l'avènement de la cuisine selon Maïté. La gloire transparaissait dans les volutes odorantes près des rails au tracé interminable. Il fut un temps trop bref où être invité au casse-croûte des balastiers n'était pas un mince honneur.

Puis, le dimanche ce fut le repas de la troisième mi-temps de l'équipe de rugby locale et puis les pompiers, les chasseurs... on n'arrête pas la rumeur, fût-elle favorable.

La louange tournait à l'institution. Maïté s'installa donc dans ses « casseroles » comme on s'installait dans ses meubles et le « Relais des Landes », à Rion bien sûr, devint une sorte de croix du sud vers laquelle convergèrent tous les gourmands de cuisine vraie quand, justement la nouvelle cuisine feignait d'envahir jusqu'aux routiers.

On découvrit alors que Maïté savait la cuisine comme Pascal la géométrie : sans l'avoir jamais apprise. "C'est en regardant fricotter ma grand-mère et ma mère "finit-elle par avouer à ceux qui s'étonnaient trop fort. Le syndrome de la chaise-longue payait enfin.

Elle surprend beaucoup de gens en expliquant qu'avec le prix de vente d'un canard gras acheté 160 francs actuels et convenablement travaillé (foie, magrets, confits, graisse) on peut en acheter quatre. Petite équation simple qui, outre son remarquable talent, est à la base de son succès.

Alors, qui donc est Maïté aujourd'hui?

Une cuisinière landaise inspirée, découverte par Patrice Bellot et mise en valeur par Micheline Banzet pour le compte de FR3? Cela ne fait aucun doute.

Cependant , il semble bien que s'arrêter là serait passer à côté d'une dimension rare chez cette femme à la voix claire qui dit à mi-voix des gros mots avec une jubilation de petite fille malicieuse. Qui fait tout et tant, à gestes ailés et un peu lourds, de ses mains de colombe potelée.

Maïté c'est une femme-pont. Elle en a l'encolure et la force c'est un pont jeté entre l'instinct et l'expérience, qui aboutit au triomphe du savoir-faire sur la théorie.

On n'écrit que sur les gens qui ont su étonner leurs contemporains. Il fallait donc que ce fût dit.

MICHELINE

C'est une dame, une dame que rien ne semblait prédisposer à la création d'une émission culinaire, fût-elle de portée internationale.

Fleuron du Conservatoire de Paris où elle entre à six ans, à seize ans elle est premier prix de violon, lauréate des concours de contre-point, harmonie et fugue. Elle travaille avec les plus grands maîtres : Darius Milhaud, Olivier Messiaen, Jacques Thibaud. Durant sept ans, elle sera soliste à la société des concerts du Conservatoire sous la direction de Charles Munch.

Vie haletante, passionnée, qui ne l'empêche pas, tôt mariée d'avoir trois enfants d'une première union, ce qui, on le devine sans peine, l'oblige à interrompre son existence en sauts de puces, de galas en concerts.

Elle entre au service de recherche de la RTF alors dirigé par Pierre Schaeffer. Ensuite elle devient productrice à l'O.R.T.F. et réalise plus de douze cents émissions de radio, évidemment consacrées aux grands solites, chefs d'orchestres, compositeurs, interprètes (Maria Callas, Von Karajan etc.).

En outre Micheline Banzet est la créatrice des premiers programmes musicaux diffusés en modulation de fréquence qui deviendra France-Musique.

C'est en 1956 qu'elle devient bordelaise après un long veuvage. Comme il fallait s'y attendre on la retrouve parlant musique à la Radio de Bordeaux où, à la demande de FR3, elle reprend des émissions ponctuelles sur Radio France Aquitaine et Aquitaine Radio. Elle accepte enfin en 1982 d'être homologuée illustrateur musical. Il était temps. Elle commence alors une série d'interventions éblouissantes. Deux ans plus tard tandis qu'elle crée « La musique et vous », elle croise la route de Maïté. C'est un choc imperceptible qui va très vite prendre des proportions inhabituelles.

La conseillère artistique du Grand Théâtre de Bordeaux, la conseillère (écoutée) du Mai musical se met à faire des gammes en magrets et marinades majeurs. La cuisine de Maïté devient, si l'on peut dire, son violon d'Ingres.

Sans interrompre sa bouillonnante vocation musicale, Micheline Banzet se plonge avec délices dans les arcanes de la cuisine populaire gasconne.

Cette parisienne inspirée et infatigable se mue en aficionada de l'Aquitaine profonde. Elle avait déjà fait le premier pas en épousant Hugues Lawton en 1956. Son quatrième enfant naît à Bordeaux en 1958.

Comme le dit notre grand juriste philosophe Jean Carbonier : il n'est pas de meilleur citoyen que celui qui choisit de le devenir. Tant il est vrai que le Chemin de Damas n'est pas à sens unique et demeure aussi imprévisible que fort bien éclairé.

CREDITS PHOTOS

Jean-Luc Barde (Scope) ; pages 8 et 9, 98 et 99, 111, 132, 166 et 167, 210, 211, 212, 226 et 227.
Michel Guillard (Scope) ; 85 en haut, 86, 140, 145, 146 et 147.
Régine Rosenthal ; photo de couverture, 16, 17, 21, 26, 31, 34, 35, 44 et 45, 46, 113, 150, 168, 169, 173, 176, 201, 202 et 203, 214 et 215, 220, 224.
Jacques Sierpinsky : 55, 121.
Jean-Daniel Sudres : 52, 82, 84, 85 en bas, 87, 93, 97, 102, 116, 155, 161, 209, 213, 216.

TABLE DES MATIÈRES